선생님, 퇴직하시나요?

교직 은퇴 후의 경제적·심리적 안정을 위한 책

선생님, 퇴직하시나요?

교직 은퇴 후의 경제적·심리적 안정을 위한 책

발 행 | 2024년 06월 15일
저 자 | 윤선숙
펴낸이 | 한건희
펴낸곳 | 주식회사 부크크
출판사등록 | 2014.07.15.(제2014-16호)
주 소 | 서울특별시 금천구 가산디지털1로 119 SK트윈타워 A동 305호
전 화 | 1670-8316
이메일 | info@bookk.co.kr

ISBN | 979-11-410-8939-9

www.bookk.co.kr
ⓒ 윤선숙 2024

선생님,
퇴직
하시나요?

교직 은퇴 후의 경제적·심리적 안정을 위한 책

윤선숙 지음

BOOKK

추천하는 글

여기 퇴직한 선생님이 살아온 이야기를 생생하게 알려주는 주옥같은 이야기가 있습니다. 그 이야기는 지난 30여 년간 교직 생활의 애환이 담겨있고, 가슴 깊이 간직한 소중한 이야기입니다. 언제나 읽어도 마음 한편에 따뜻함을 전해주는 친근한 이야기입니다.

교직으로 살아온 이야기, 어느새 맞닥뜨린 퇴직 이야기, 퇴직의 선을 넘어선 이야기는 선생님의 자서전과 같은 이야기입니다. 이 이야기는 퇴직을 앞두고 있거나 퇴직한 독자들에게 마음의 여유를 선물할 것이며, 용기와 공감을 불러일으킬 것입니다.

저자 윤선숙은 퇴직한 후, 삼육대학교 대학원에서 상담심리학 박사과정에 입학하여 학위과정을 마치고 졸업하였습니다. 그가 재학 시에 보여 준, 배우고자 하는 겸손한 자세와 진솔한 태도는 자기 삶의 실체 그 자체였습니다. 그 삶의 실체가 이 책에 고스란히 담겼으리라 확신합니다.

끝으로, 마음에 간직한 퇴직 이야기를 솔직담백하게 작성하여 퇴직을 준비하는 사람들에게 퇴직의 노하우를 전달하고, 퇴직을 이룩한 사람들에게는 공감과 회상의 여유를 주는 책을 펴낸 윤선숙 선생님의 노고에 칭찬과 격려를 보냅니다.

박종환(삼육대학교 교수)

역시 윤선숙은 달랐다. 아이의 유치원 선생님 모습에 매력을 느껴, 늦깎이 대학 공부로 유치원 교사가 되고, 장학사가 되고, 퇴직에 이어 박사학위를 받고, 상담소를 열고 책을 썼다.

'그녀의 끝은 어디인가?' 우린 응원하며 바라볼 뿐, 나이는 숫자에 불과하다고 믿는 그녀는 언제나 현역이다.

그녀는 책에서 말하고 있다. '과거에 얽매이지 말고 현재를 살라!', '실패해도 괜찮더라! 담대함을 지니라!', '모든 준비 앞에서 두려움은 뒷문으로 나가게 되리라!' 라고.

그리하여 무력해지고 생기 잃은 마음들을 일으켜 세우라고.

정명희(퇴직 교장)

퇴직 후에 기대했던 신세계는 봄날의 꽃처럼 잠깐 향기로 왔다. 이후를 준비하지 않고 맞이한 시간은 갈수록 출구가 보이지 않는 미로였다. 무료했고, 소비적인 삶으로 스스로 효용도를 의심했을 때 이 책을 만났다. 퇴직 선배로서 경제적 대처, 효율적 시간 보내기, 퇴직 후 심리학을 전공한 작가의 시선에서 바라본 심리적 토양 다지기, 다가오는 '나이 듦'에 대한 바라봄과 깨달음 등, 첫 단계부터 삶의 마무리까지 독자와 함께한 이 책에서 퇴직 후 하루하루를 어떻게 맞이할지.... 세심하고 따뜻한 이야기들을 만날 수 있었다.

신금성(퇴직 교사)

학교에 근무하며, 아직은 먼 듯 느껴지는 퇴직에 대해 생각해 보게 되는 책이었습니다. 언젠가는 나에게도 퇴직일이 올 것이라는 생각이, 길지 않은 교직 생활에 통찰을 줍니다.

교사로서 어떤 마음가짐으로 학생을 대해야 할지, 교직원들과의 관계에 대한 현주소는 어디인지, 직장과 가정을 병행하는 내 생활의 초점은 어디인지 생각해 보게 되었습니다.

작가 선생님께서 늘 하신 말씀, "힘들 때 언제든 전화 주세요" 이 한 마디가 새삼 따뜻하게 느껴집니다.

퇴직을 앞둔 선배님. 퇴직에 대해 한 번쯤 고민해 본 모든 선생님께 이 책을 권합니다.

유지현(현직 교사)

CONTENT

시작하며 | 당신의 징검다리가 되고 싶다

나는 몇 년 전까지 학교로 출근하는 사람이었다. 이제는 아니다.

36년 전, 유아교육을 전공하고 유치원 교사가 되었다. 결혼 후, 아이를 낳고 뒤늦게 '학교'라는 직장에 들어갔다. 그후 교사와 관리자로 지내 온 30여 년의 재직기간은 나의 온세상이었다. 학교라는 작은 세상 속에서 아이들을 위하여, 그리고 또 스스로 성장하려고 부단히 노력하면서 살아냈다. 그중에서도 20여 년의 교사 시절에는 스스로 연찬해가며 좋은 선생님이 되고자 노력했다. 아이들의 혼을 빼앗듯이 집중시킬 수 있는 마술 같은 수업을 꿈꾸었다.

또 전직하면서는 뜻하지 않은 지역으로 발령이 나서 1년간 가족과 떨어져 지낸 적도 있었다. 재직 기간 동안 많은 수의 학생과 학부모를 만났다. 전보나 승진, 또 전직하면서 여러 학교 등에서 많은 선생님을 만났다. 그리고 다양한 일을 겪고, 또 해냈다. 그렇게 생활하며 일해온 교직 생활은 절대 짧지 않았다.

누구라도 마찬가지겠지만, 천직으로 오랜 기간을 지낸 지난

30여 년의 기간이 나에게는 전 생애인 듯이 길게 느껴졌다. 그렇게 느껴지는 이유는 사람이 태어나 어린이로 성장했던 기간들은 어찌 보면 세상을 보는 눈이 넓지 않은 철없는 시기였기 때문이었을 것이다. 그 이후의 기간들이 삶의 의미로 더 뚜렷이 남아있기 때문에 전 생애로 느껴지는가 보다.

퇴직하고 보니 직장이라는 공간은 세상의 극히 일부였고 재직했던 기간은 내 생애 3분의 1일뿐이라는 것을 깨달았다.

내가 그랬듯이 지금 퇴직을 앞두고 있거나 이제 막 교직 생활을 시작한 누구라도 그럴 것이다. 그가 속해있는 직장을 그의 온 세상처럼 느낄 것이다. 예정되어 있지만 실감하지 못했던 퇴직이었다. 내가 그랬던 것처럼 퇴직이 선생님을 교문 밖으로 밀어낼 때까지 실감하기 어려울 것이다. 당신은 퇴직하기 이삼일 전까지도 선후배 선생님과 학생들을 생각하면서 주변을 정리하고 마지막 결재를 할 것이다.

당연히 그래야 한다. 그래야 그 속으로 온몸과 마음을 던져 교직 소명이 생기고, 학생을 위해 헌신할 수 있다. 그래야 교육이 발전해 갈 것이며, 사회와 국가가 강건해질 수 있기 때문이다.

한편, 그렇게 퇴직을 맞이하고 보니 모든 것이 낯설고 갈 곳이 없어졌다. 퇴직하고 며칠쯤 지났을까? 평일 점심시간에 혼자 밥을 먹고 있는 상황이 무척이나 어색하였다. 홀로 마루를 서성이며 "왜 나 혼자 밥 먹지?"라는 말을 서너 번 되뇐 후에서야 앉아서 밥을 마저 먹은 일이 있었다. 어느 날은 오후 4시가 되어서 오늘 아무도 만나지 않은 채 나 혼자였고, 종일 누구와 한마디 말도 하지 않았다는 사실을 깨달았다. 우울한 기분이 느껴졌다.

퇴직하기까지 거의 반평생 동안 기쁠 때도 아이들과 함께했고 슬프거나 힘들 때도 아이들이 옆에 있었다. 주변에는 항상 선생님들이 있었다. 하지만 이제는 아무도 없다. 학교라는 울타리도 없어졌다. 돌아가는 쳇바퀴에서 나 혼자 튕겨 나온 듯이 덩그러니 그렇게 놓여있을 뿐이다. 그러나 내가 없는 그 쳇바퀴는 아직도 잘 돌고 있다.

이제 퇴직 이후에 남은 마지막 삶의 삼 분의 일을 위하여 무엇이든 할 일이 필요했다. 자원봉사 포털을 검색하여 스스로 요양원을 찾아갔다. 그리고 봉사도 수요처에서 원하는 것들을 해야 한다는 것을, 머쓱하고 미안한 마음으로 깨달았다.

나중에 공무원연금공단에서 운영하는 상록봉사회가 있다는 것을 알고 참여하게 되었다. 지금은 여러 곳에서 자원봉사 활동을 하고 있다. 그리고 허전하고 무료한 생활을 벗어나기 위하여 대학원에 진학하였다. 상담 심리학을 공부하면서 퇴직 교원을 대상으로 연구하였다.

이 작은 책을 통하여 독자를 만나고 이야기를 전하고 싶은 이유는, 먼저 퇴직한 경험을 선생님들과 함께 나누고 싶어서다. 지금 여러분을 만날 수는 없지만, 책을 통해서 경험을 공유할 수 있을 것 같다.

책은 다섯 개의 부분으로 구성하였는데 제1장에서 '살아온 이야기', 제2장에서 '퇴직의 의미와 현실', 제3장은 '살아갈 이야기', 제4장에 '행복은 어디서 오는가?', 제5장 '지혜와 완성을 향하여' 이다. 퇴직 사건을 중심에 놓고 인간의 생애 발달을 축으로 기술하였다.

책을 쓰기 전에 인터뷰나 기타 소통 방법으로 논문과 글쓰기에 참고할 수 있는 퇴직 경험을 얻었다. 퇴직 이후의 삶에 대해 경험과 사실을 제공해 주신 선생님이 여러 사람 계신다. 책 속 내용에 사례를 소개할 때 그분들을 '김 교사', '이 교사' 등으로 칭하였다. 독자가 내용을 파악하기 쉽도록 그분들이 퇴직할 당시 직책의 구분이 없이 통일하였다.

책을 쓰기 시작한 오늘은 퇴직하고 지나간 날들이 만 5년에서 50일을 앞두고 있다. 책이 언제 출판될지는 모르지만, 아직도 내가 학교에 있다는 상상을 하며, 교직 동료이며 이 책의 독자인 선생님들이 옆에 있다는 느낌으로 글을 쓴다.

이 책을 읽는 선생님이 퇴직 이후의 삶에 대하여 더욱 구체적인 이해를 하고, 어렵지 않게 적응해 가기를 바란다.

Part A. 살아온 이야기

1. 우리 이렇게 자랐다
2. 일을 찾다
3. 학교에 다니고 또 학교에 근무했다
4. 학교가 변했다
5. 시공간으로 본 교직의 의미

1. 우리 이렇게 자랐다

어릴 때 엄마의 옛날이야기가 참 재미있었다. 까치와 뱀, 홍부 이야기, 호랑이와 곶감, 장화와 홍련 이야기 등. 엄마는 어떻게 많은 이야기를 알고 있었는지 궁금했다. 조금 커서는 엄마가 이야기를 어느 정도 꾸며가며 한다는 것을 알았다. 그래도 잠자리에 누워서 듣던 엄마의 옛날이야기는 달콤한 사탕보다 더 달았다. '하나 더, 하나 더'. 그러면 엄마는 끝나지 않는 이야기를 들려주었다. 산꼭대기에서 '절구 굴러가유~' 하면서 '데굴데굴.....' 아직도 굴러가고 있는 절구 이야기를 듣다가 잠이 들었다. 지금부터 나도 옛날이야기를 하려고 한다.

옛날 나 어릴 적에는 옆집도 앞집도. 집집마다 아이들이 많았다. 초저녁 서울의 작은 동네 골목은 아이들 천국이었다. 매주 월요일 아침, 조회 시간에 넓은 국민학교 운동장에는 아이들이 줄 서서 꽉 차 있었다.

이 책을 접한 독자는 대부분 베이비 붐 세대를 포함하여 그 이후 출생자일 수 있겠다. 1955년생부터 1963년생까지는 베이비붐 세대다. 이때 태어난 사람의 수가 많아, 베이비붐 세대를 커다란 인구 집단으로 본다.

그 시절에는 나와 같은 또래의 학생 수가 많아 소위 콩나물 교실 수업을 했다. 초등학교 저학년은 2부제로 운영했고, 오전반과 오후반이 있었다.

우리 집은 오빠와 남동생, 그리고 여동생으로 4남매가 함께 자랐다. 어릴 적, 누군가 엄마에게 자녀 수가 딱 맞는다고 칭찬처럼 하던 말을 들은 기억이 난다. 오 교사는 9남매가 함께 자랐다고 하셨으니 그럴 만도 하다. 큰형님과 열다섯 살 차이가 있다고 했다. 7남매 중 둘째인 민 교사는 자신이 사랑받을 수 있는 위치가 아니라고 하며 자신의 자매를 1번, 2번으로 칭하며 1번은 맏이, 3번은 재주 많고 예쁜, 그리고 자신은 2번으로 특징 없이 살았다고 했다. 그래서 조부모를 비롯해 대가족 살림을 하느라 바쁜 엄마의 사랑을 갈망했다고 한다.

중학교 때는 우리 반에 학생이 1번부터 72번까지 있었다. 한 반 학생 수가 72명이었던 거다. 어린 시절이었지만 '아들 딸 구별 말고 둘만 낳아 잘 기르자' 라든가 '잘 키운 딸 하나 열 아들 안 부럽다' 는 포스터가 지금도 생각난다. 학교에 오가는 길에 동네 전봇대에서 심심치 않게 보고 자랐다. 요즈음에는 합계출산율이 1명을 훨씬 밑돌아 0.7명이라니 나라의 미래가 걱정된다.

1969년부터 시작하여 전국적으로 중학교 입학시험을 폐지하여 '중학교 무시험진학제' 가 시행되었다. 입시지옥 해소와 초등학교의 정상화를 위해 추첨으로 학생을 선발하는 입학전형이다. 서울을 시작으로 3년에 걸쳐 전국으로 확대되었다. 내가 처음으로 중학교 무시험 입학으로 학교 배정을 위해 뺑뺑이를 돌렸다.

1974년에는 고등학교 입학시험이 폐지되었다. 고교 평준화 정책이었다. 이에 따라 명문고들은 상위권 학생을 뽑을 수 없었고 비인기 학교들은 입학생의 성적이 전보다 좋아졌다. 당연히 학교별로 신입생과 재학생 간의 학력 차이가 나타났다. 신 교사는 명문고에 입학했는데 당시 선배들이 1학년 신입생을 동문회에 끼워주지 않았다고 했다.

중학교에 다닐 때는 우리 반에 아파트에 산다는 친구가 있었는데 아파트가 흔치 않던 시절이라 신기하고 부럽기도 했었다. 서울에는 작은 마당이 있는 단독 가구가 있고 그 집에 세 들어 사는 새댁이 있었다. 서울에서 국민학교에 다닐 때만 해도 TV나 전화가 있는 집은 부자였다. 가정환경조사서에 집에 TV가 있는지, 전화나 피아노가 있는지, 부모의 직업과 학벌까지 적어서 학교에 내던 시절이다.

현재 젊은이라면 상상하기 어렵겠지만, 이 세대에는 컴퓨터가 없고 IT 문화가 발달하지 않았었다. 핸드폰은 세상에 존재하지 않는 물건이었다. 그래서 주로 자연과 함께 지냈다.

어린 시절에는 누구에게나 나름대로 행복한 추억이 있다. 구슬 놀이, 공기놀이, 술래잡기, 고무줄놀이, 자치기, 땅따먹기 놀이를 하며 놀았다. 놀이가 너무 재미있었다. 해가 뉘엿뉘엿 넘어가는 저녁에 엄마가 들어오라고 부르던 소리가, 숨고 싶을 만큼 싫었다.

학교의 넓은 운동장에서 여자아이들끼리 고무줄놀이를 했다. 남자아이들이 고무줄을 끊어놓고 도망가서 속상했던 일이 생각난다. 그네 타기도 무척 재미있었다. 온몸의 힘을 실어 발을 구르면, 날아오르듯 높이 오르내리는 기분이 지금도 느껴진다. 학교 운동장에 두 개밖에 없던 그네를 먼저 타기 위해 일찌감치 등교하던 기억이 남아있다.

정 교사는 여자임에도 어릴 때 집 앞 팽나무에 올라앉아 놀았다. 그 기억을 주변 전원 풍경과 함께 행복한 추억으로 간직하고 있다. 서울에서 7남매의 둘째로 자란 민 교사는 엄마와 단둘이 시장 갔던 일을 행복한 기억으로 가지고 있다. 시장에서 맛있는 간식을 사서 먹을 때 엄마의 사랑을 독차지한 기분이 들었다. 당시 시골에서 국민학교를 다닌 경우는 등·하교 길에 산딸기를 따 먹고 개울가에서 물놀이도 했다고 했으니 지금 생각하면 운치가 있다.

오 교사는 친구들과 놀고 싶은데 못 놀고 농사일을 돕는 게 무척 싫었다. 집에 가면 할 일이 너무 많았다. 그래서 방학이 싫었다. 고등학생 때는 도서관에서 공부하고 일부러 집에 늦게 온 적도 많다.

선생님들은 대부분 어릴 때 공부를 잘했다. 오 교사는 국민학교 1학년 때 100점을 두 과목이나 받았다는 선생님의 칭찬을 받았다. 그리고 부모님께도 칭찬을 받고 나서 공부 잘하는 게 좋은 일인 줄 알았다. 그래서 더 열심히 공부했다. 정 교사도 담임선생님의 칭찬이 열심히 공부하는 계기가 되었다. 중학교 때 열심히 하면 결과가 좋게 나오는 경험을 하고 나서 공부를 즐기며 좋아했다. 김 교사는 외로움의 도피처로 학교 도서관을 찾았다. 거기서 책을 보는 시간이 즐거웠고, 그 즐거움에 파묻혀 지냈다.

혹자는 어느 성장의 시기에 아픈 기억도 가지고 있다. 김 교사는 중학교 때 학교생활이 힘들어 가출했다. 배도 고프고 외롭기도 했다. 가출에서 돌아온 이후, 아이들의 시선이 얼마나 부담스러웠는지 모른다. 혼자 지낸 외로운 기억이 지금도 트라우마처럼 남아있다. 이 교사는 고등학교 때 갑자기 엄마를 잃고 온 세상을 잃은 듯한 절망감을 느꼈다. 그 트라우마와 방황은 지금 돌이켜보니 성장기에 겪은 위기였다. 그래도 잘 자라나서 노년의 나이에 접어들었다.

내가 국민학교에 입학할 때는 누런 코를 흘리는 아이들이 많이 있었다. 왜 코를 그렇게 많이 흘렸는지 지금도 이해가 가지 않는다. 누런 코와 흰 손수건은 머릿속에 기억으로 남아 이미지가 뚜렷하다.

국민학교 입학을 앞두고 '차렷', '열중쉬어', '앞으로 나란히'를 연습했다. 손수건을 가슴에 달고 운동장에서 입학식을 했는데 그 후 한 세대가 지난 나의 아들과 딸도 얼음이 반쯤 녹아 질척이는 운동장에서 국민학교 입학식을 했다. 학교에 강당이나 체육관이 세워진 역사가 오래되지 않은 것이다.

선생님이 보는 앞에서 기생충 약을 먹은 적도 있다. 물론 이에 앞서 채변 봉투를 학교에 냈었다. 어느 날 돌아다니는 짧은 만화에서 본 내용인지, 우리 가족에게 있었던 이야기인지 기억이 어렴풋하다. "엄마, 선생님이 나 회충약 먹어야 한대". "먹으면 되지!" "그런데 엄마, 그거 엄마가 먹어야 되잖아". 엄마의 채변이었다. 다시 생각하니 웃음이 터진다.

정 교사는 중학교 때 사업으로 아버지와 어머니가 서울로 먼저 가시고 서너 달 이모 댁에서 지낸 일이 있었다. 이때 학급 반장이면서도 담임과 대립각을 세우면서 지낸 적이 있다. 지금 생각해 보니 잠시 엄마와 떨어져 지낸 불안한 심리에서 오는 사춘기 방황이었다. 이 경험은 이후 학생들을 대할 때 마음을 들여다보는 계기가 되었다고 했다.

고학년 시기에는 국군 아저씨께 위문편지를 쓴 기억이 난다. 치약 등의 위문품을 함께 준비하기도 했다. 나의 아들이 군에 다녀온 지금 와서 생각하면, 20대 초반의 군인이 참 어리다. 그때는 군인 아저씨가 그야말로 '아저씨'라고 생각했다.

어느 때인가 국민교육헌장을 한 자도 틀리지 않고 달달 외운 기억이 난다. 지금도 그 기억이 남아, 입에서 줄줄 나온다.

고등학교 시절에는 여학교였는데도 교련 교과가 있었다. 이름은 잊었지만, 교련복을 입고 운동장에서 '받들어총!'을 외치던, 예쁘면서도 키 크고 늠름했던 우리 학교 동급 여학생이 생각난다. 멋졌다. 당시에 약간 어두운 피부색을 가진 교련과목의 여선생님은 무섭다는 생각이 들었다. 운동장에서 삼각건을 묶고 검열을 받던 생각이 난다. 군인인지, 누군가 학교로 와서 검열할 때 긴장했던 기억이 있다.

우리나라 학제는 1950년대부터 6-3-3-4 제의 기반으로 현재까지 유지되고 있다. 1970년대 초중반에는 지금처럼 대학에 들어가는 사람들이 많지 않았다. 대학생이 드물던 그 시절에 대학에 입학한 이들은 부러움의 대상이었다. 농촌에서 자녀를 대학에 보내려면 소를 팔아 등록금을 마련한다는 시절이었다. 오 교사는 중학교를 졸업하고 상업고등학교에 가기 싫었다. 그해 고등학교 입학을 보류하고 다음 해에 읍내에 있는 고등학교에 입학했다. 물론 생활고가 작용하기도 했다.

나의 독자들은 그들이 다닌 대학이, 교원양성이 목적인 교육대학이나 사범대학에 들어간 경우가 대부분이었을 것이다. 주변에서 볼 때, 공부를 잘했지만 가정 형편으로 2년제 교육대학에 간 사람도 있었고, 4년제 대학에 들어갔지만 졸업하기까지 생활이 쉽지 않았던 경우도 있었다.

대학을 졸업하고 사회에 첫발을 내디딜 때는 산업 발전이 한창 이루어질 때였다. 이때는 건설업, 도소매업 쪽으로 취업할 경우, 월급이 훨씬 많았다. 졸업 후 무역회사를 가거나 은행에 들어가는 학생들도 많았다. 고도 경제성장으로 인한 고소득 일자리의 증가는 직업으로서 교사를 선호하지 않았을 뿐 아니라 교사의 이직도 증가시켰다.

나 역시 가정 형편으로 오로지 국립대학 두 군데만 응시하여 떨어지고, 친구들보다 일찍 결혼했다. 당시에는 30살이 넘으면 노처녀, 노총각이라고 했으니, 지금과 비교하면 일찍 결혼한 것이지만 그때 분위기는 모두가 이른 나이에 결혼했다.

통계청 자료에 의하면 1990년 남자의 평균 초혼 연령이 27.8세, 여자 24.8세였다. 이후에 점차 결혼 연령이 늦추어졌다.

지금 전국의 곳곳에 교육 박물관이 있다. 그곳에는 학창 시절을 생각하게 하는 책걸상과 소품이 있고, 중고등학교 시절에 입던 교복도 있다. 여기저기 상처처럼 윗면이 깊게 파인 나무 책상도 친숙하게 느껴진다. 이곳에 가면 어릴 적 향수가 남아있어 정겹다.

2. 일을 찾다

나는 엄마가 서둘러서 일찌감치 결혼했다. 대학에 가고 싶었으나 동생이 있고, 이미 대학에 다니고 있는 오빠까지 모두 대학에 보낼 수 없다고 했다. 마음속으로 대학을 포기하지 않았는데 혼자만의 환상일 뿐이었다.

결혼하여 아이를 낳고 키우느라 여념이 없었다. 대학은 잊었다. 큰 딸아이가 다섯 살 때 노란 가운을 입고 유치원에 다녔다. 그 당시에는 대부분의 유치원 아이가 원복으로 노란 가운을 입었다. 아이가 소풍 가는 날이어서 학부모들이 함께 따라갔다.

노란 가운을 입은 귀여운 꼬마들이 푸른 잔디밭에 동그랗

게 둘러섰다. 경쾌한 동요 소리가 귓속으로 파고든다. 꼬마들이 만든 동그라미 안에서 선생님이 율동하고 아이들이 따라 움직인다. 노랑과 초록색의 어우러짐이 동화책을 보는 듯하다. 귀여운 꼬마들의 몸동작, 율동을 이끄는 젊은 선생님의 둔한 실루엣까지. 아! 너무 아름다운 광경이었다.

아무 생각 없이 살던 내게 꿈이 생겼다. 유치원 교사가 되겠다고. 방송통신대학에 들어가 공부하고 임용고시를 보았다. 쉽지 않았다. 하지만 아이들이 웬만큼 컸기에 할 수 있었다. 나는 그렇게 서른 살이 넘어 선생님이 되었다.

다음은 교사의 삶을 살게 된 몇 분의 사례다.

이 교사는 고등학교 영어 교사로 퇴직했다. 그는 자연에서 조용히 살기를 원하며 순수하고 깨끗한 마음을 가졌다. 그가 어릴 적에 외삼촌이 외국에서 결혼했는데, 불어와 영어를 잘하는 외삼촌의 모습이 너무 멋져 보였다. 그래서 영어를 잘하고 싶고, 영어 선생님이 되고 싶었다. 교직은 처음부터 자신이 갈 길이라고 생각했다. 대학을 졸업할 무렵에 전국적으로 영어 교사의 수요가 폭증했다. 처음에는 한적한 시골로 내려가 교사를 했다. 경제적으로 독립했고 행복했다. 적성에 맞는 것 같기도 하지만, 그 외에 딱히 할 다른 직업도 없었다. 그렇게 40년 이상을 고등학교 영어 교사로 지냈다.

강원도 산골 마을에서 자란 김 교사는 교사가 되려는 생각이 없었다. 그 시절에 산골 마을은 가난했기에 어려서는 사업을 하고 싶었다. 돈을 많이 벌어서 배고프지 않고, 남들도 배고프지 않게 베풀고 싶었다. 대학을 졸업하면서 회사에 들어가고자 했다. 경기가 좋았던 시절이었는데도 역사학을 전공한 사람을 뽑는 회사가 없었다. 군대에서 제대하고 몇 개월 놀다가 밥벌이라도 하자는 생각으로 사립학교에 발을 디디게 된 것이, 교사가 된 계기였다. 그는 요즈음 동창회에 가보면 모두 다 잘 사는데, 본인이 가진 재산은 오로지 학생뿐이라고 말한다.

초등 교육을 전공한 정 교사의 진로 이야기이다. 그녀는 가치관도 꿈도 아직 뚜렷하지 않았지만, 공부를 잘했다. 서울대학교에 가고 싶었다. 하는 수 없이 가정 형편 때문에 교육대학을 선택했다. 어쩔 수 없었다. 다른 대학을 갔다면 집에서 학비를 못 대주었을 테니까. 임용 초기에는 아이들에 대한 무거운 책임감을 느끼면서 진로 선택에 방황하기도 했다. 이후 충실한 직업인으로서 교사의 사명감을 키워갔다. 지금 와서 생각하면 교사가 되어 경제적으로 일찍 자립할 수 있었던 게 다행으로 생각된다.

농촌에서 자라난 오 교사는 학창 시절에 육군 장교가 되고 싶었다. 가족의 권유로 교대를 선택한 선생님은 교직 생활을 하면서, 교사가 되기를 잘했다고 생각했다. 어릴 때나 청소년기의 꿈이 누구에게나 이루어지는 것은 아니라고 생각하니 지금 후회는 없다.

피아노를 잘 치던 한 소녀는 음악을 전공하고 싶었다. 중학교 때는 선생님이 예술고등학교에 입학하라고 했다. 고등학교 때는 음악대학에 가라는 선생님의 권유가 있었다. 아쉽지만 교감 선생님이셨던 아버지의 뜻을 따라 유아교육과에 들어갔다. 그녀는 졸업하고도 한참을 헤매었다. 음악학원에서 아이들에게 피아노 교습을 했다. 여러 해를 보내고 나서 뒤늦게 유치원 교사가 되었다.

베이비붐 세대가 진로를 결정하던 70년대 중후반에는 급격한 산업 발전이 있었다. 그 과정에서 분배의 불평등으로 교원의 급여가 일반회사보다 터무니없이 적었다.

교직을 선택하는 동기에는 내재적이고 외재적인, 그리고 이타적인 동기가 있다고 한다. 어떤 이들은 가르치는 일을 좋아하고 전공 지식과 전문성을 활용하는 기쁨으로 교직을 선택하였다. 내재적인 동기이다. 어떤 사람은 선생님이라는 신분의 보장과 정년보장이라는 안정성을 선택하기도 했다. 경제적으로 빨리 독립하고 싶은 욕구가 있었다. 또 가족이나 선생님의 권유로 교직을 선택하기도 했다. 이처럼 내가 만난 선생님 대부분은 교직 선택에 만족하였는데 일찌감치 경제적으로 독립할 수 있었던 게 가장 큰 이유였다.

3. 학교에 다니고 또 학교에 근무했다

학교를 졸업하고 어른이 되어 다시 학교로 갔다.

학교로 직장을 정했다. 다른 일을 하다가 학교로 직장을 옮긴 선생님도 있었겠지만, 선생님 대부분은 긴 세월을 학교라는 직장에서 지냈다.

30~40년이라는 세월 동안 학교 현장도 여러 변화가 있었다. 퇴직 이야기를 시작하기에 앞서 약간의 자료를 찾아가며 기억 속의 학교를 되짚어보고자 한다.

국가기록원에 의하면 1980년대를 맞이하여 과외로 인한 빈부격차 위화감 해소를 위해 1981년 7·30 교육개혁 조치를 단행하였다. 교육 정상화 및 과열 과외 해소 방안으로 1981년부터 1984년까지 연차별로 모든 교육대학을 4년제로 승격시켰다. 교육대학이 4년제로 바뀔 것이라는 소문으로 교육대학 진학을 망설이는 분위기도 있었다.

대학 본고사 폐지, 내신성적과 예비고사 성적으로 대학생 선발, 대학 졸업정원제, 대학입학 인원 확대가 있었다. 또 중학교 의무교육과 교육 방송이 시작되었다.

1981년 12월에 교육시설 확충과 교원 처우개선 재원을 확보하기 위하여 교육세를 목적세로 신설하였다. 1989년에는 전국교직원노동조합이 결성되었다.

유아교육은 다른 학교급에 비해 교육정책의 우선순위에서 밀려있었다. 80년대 이후 국가적 차원의 질 관리를 통한 유아교육의 공교육체제 확립에 대한 요구가 제기되었다. 요구가 확산하면서 제도적 장치로서 유아교육 관련법의 정비가 필요하게 되었다.

유아교육에 적용된 법률이 초·중등교육법, 유아교육진흥법, 영유아보육법으로 나뉘어 있었다. 소관 부처도 교육부와 보건복지부로 양분되어 있었다. 비효율적이었던 교육 및 보호 정책을 일원화시키기 위해서 유아교육법 제정의 필요성이 나타났다. 2000년대 초기에 유아교육법 제정을 위하여 유치원 교사와 유아교육과 교수들이 힘을 합쳐, 너나 할 것 없이 국회 앞에 나가 유아교육법 제정을 촉구하였다. 전국 공·사립의 유치원 교사들과 각 학교 학생과 교수들이 전국적으로 결집하여 주말에 걸쳐 몇 차례 지속했었다.

마침내 2004년에는 유아교육진흥법을 폐기하고 초·중등교육법에 포함되어 있던 유아교육을 분리했다. 유아교육법이 새롭게 제정되었으나 아직도 유아교육과 보육은 통합되지 않고 과제로 남아있다.

다시 돌아가 1990년대 중반에, 교과 중심 교육과정에서 경험을 강조하는 교육과정으로 강조되면서 초등학교에 '책가방 없는 날'이 제정되었다. '책가방 없는 날'은 교육내용과 방법의 다양성을 추구하려는 시도였다. 또 초등학생들의 적성 개발과 학습 능력 배양에 목적이 있고 교사의 전문성 신장에도 교육적 의의를 둔 제도였다.

1995년 5.31 교육개혁이 단행되었다. 열린 교육 사회, 평생학습사회 기반 구축으로 학점은행제를 도입하였다. 학점은행제는 학력을 인정해 주어 학위취득의 기회를 주는 것으로 1998년부터 시행되었다. 학교운영위원회를 설치하도록 하여 심의 의결, 자문 기능을 부여하였다. 학교운영위원회는 현재까지 학교에서 그 역할을 하고 있다.

교원 인사와 관련해서 '초빙 교원제'를 실시하고 학생의 자원봉사 활동과 청소년 수련 활동을 생활기록부에 기록하도록 하였다. 국제고, 정보고, 디자인고와 같은 특성화 학교 설립, 만 5세 유아의 초등학교 입학을 허용하였다. 교육과정평가원을 신설하여 수능시험 관리를 하도록 하였다. 또한 초등학교 교과 전담제, 담임수당 지급, 교장 명예퇴직제도를 실시하였다.

1996년도부터는 '국민학교'의 명칭을 '초등학교'로 변경하였다. 일제의 잔재 청산이라는 상징적 의미 부여였다. '초등학교' 명칭은 사회적인 약속인지, 지금 소급하여 사용하고 있다. 맞춤법에 '국민학교'를 치면 자동으로 '초등학교'로 글자가 바뀌어 나타나고 있다. 나는 '국민학교'를 졸업했는데 현재는 '국민학교'를 졸업한 누구라도 '초등학교'라는 이름으로 소급하여 사용한다.

90년대 말에는 공직자 기강 확립 입장에서 학교와 교사를 촌지 문화의 온상으로 취급하여 교육계를 혼탁한 사회로 왜곡하는 분위기가 있었다. 이때는 참으로 억울한 느낌이 들었던 기억이 있다. 이견이 있을지 모르겠지만 내가 느끼는 학교는 지금까지도 맑고 투명하다.

1999년에 대학 교원을 제외한 초·중등교원의 정년 단축이 준비기간 없이 이루어졌다. 65세 정년이 62세로 바뀌어 3년이 단축되었다. 당시 교장의 75%가 갑작스레 퇴직을 맞이하였다. 신규 교사를 확충하고, 예산을 절감하여 시설 투자에 이용한다는 계산이었으나, 당시 경력 교원들의 충격은 컸다.

이후, 초, 중등학교 교장 초빙·공모제 시행, 교원 능력 평가제 도입 등이 있었다. 교장공모제는 교장 중임제의 시행 이후에 원로교사가 되거나 미리 퇴직해야 하는 경우의 회피 방안으로 기능하기도 한다. 교원 능력 평가제는 일부 학생들의 성의 없는 평가에 대한 부작용으로 아직도 개선할 점이 드러나고 있다.

이러한 세월 속에서 선생님들은 초임 때는 의욕이 앞선 천방지축으로 시행착오를 했다고 기억한다. 오 교사는 처음 부임한 섬마을 학교에서 퇴근 시간이 있는 줄 모르고 수업이 끝나면 퇴근인 줄 알았다. 이 교사는 고등학생 앞에서 선생이라고 잘난 척하던 일은 지금 생각해도 웃음이 난다고 했다. 정 교사는 젊은 혈기에 교장에게 대들었던 일도 있었다. 그래도 모두는 젊었기에 열정을 다했다는 자부심이 있다.

교직 중반기를 넘어서면서 교사의 역할에 대해서 부모의 입장으로, 또 학생의 입장으로 숙고하게 되었다. 직업적으로 한층 성숙해지며 학생을 위해 더 좋은 교사가 되기 위한 책임감과 역할을 생각하였다. 개인적 성장을 위한 노력도 했다.

당시에는 학급에 뇌전증이 있는 학생이 있었다. 학생이 갑자기 증상을 일으킬 때 너무 놀라 어찌할 바를 모르던 일이 있다. 또한 반 학생이 가족을 잃는 일이 있어서 함께 마음 아팠던 기억이 있다. 학생 신변에 문제가 생겼을 때는 자모와 함께 분노하며 울던 생각도 난다. 민 교사는 중년이 넘어서면서 선생님의 건강에 문제가 생겨서 병가를 냈다. 이 교사는 퇴직 전 교통사고로 병원에서 퇴임일을 맞이하였다. 학생에게 닥친 일이나 선생님과 가족에게 닥쳤던 어려운 일이 모두 교직에서의 위기였다.

선생님들이 공통되게 보람으로 여기는 것은 가장 열심히 수업한 것과 학생의 이야기를 듣고 공감하던 일이었다. 김 교사는 교장으로 근무하던 당시에 학생들의 눈빛이 진지하게 변하는 모습을 볼 때 보람 있었다고 한다. 민 교사는 수업 중, 어린아이의 눈빛이 초롱초롱 빛날 때 호흡을 함께하며 한배를 탄 듯 일렁이는 수업 시간은 잊을 수가 없다고 한다.

30년~40년간의 교직 생활 동안 교육 제도에도 많은 변화가 있었다. 사회도 많이 변했다. 선생님들은 퇴직을 앞두고 교직을 돌아보며, 아쉬운 점도 있지만 그래도 교직에 감사한다. 그리고 교직이 자신을 키워준 직업이라고 표현했다.

4. 학교가 변했다

　세상은 계속해서 바뀌고 변한다. 디지털 기술은 우리의 생활방식이나 업무수행에 깊숙이 영향을 미치고 있다. 물질도 변한다. 온도가 올라가면 얼음도 물로 변하고 기온에 따라 음식물도 변한다. 부패나 발효 같은 상태변화다. 사람도 변한다. 노화를 포함하여 '발달'이라고 한다.

　산업과 경제가 발전하면서 가족 형태가 변했다. 예전에 할아버지와 할머니가 함께 살던 대가족 형태는 농경사회 이후에 없어졌다. 나의 어머니 세대가 핵가족을 유지하고 살았다. 이후에 나도, 나의 자녀들도 핵가족으로 살고 있으니, 이제 대가족이라는 말은 옛말이 되었다.

마침내 학교도 변했다. 정보화 시대에 맞추어 학습 방식이 변했다. 각 교실에 컴퓨터는 물론 정보 기자재가 채워지고 이의 활용이 필수가 되었다. 교사는 재빠르게 정보 기자재 다루는 방식을 익혔다. 모든 변화는 잘 대처하면 가능성이 된다.

예전에 대가족이 함께 어우러져 살 때는 아이가 부모에게 야단맞으면 조부모가 감싸 어루만져 주었고, 어려운 일이 있을 때는 삼촌이나 이모, 고모가 멘토로, 또 상담사로 그 역할을 하였을 것이다. 아이가 무엇인가 잘못했을 때는 집안에 보는 눈도 많아 자연스레 가정 교육이 이루어졌다. 하지만 이제는 가족 안에 아이의 감정을 어루만져 줄 누군가가 없을 뿐 아니라 부모의 잘못을 지적해 줄 웃어른도 없다.

부모의 감정이 자녀의 학교생활을 걱정하느라 예민해져 있을 때, 이것을 감싸고 다독여 줄 어른이 없다. 자녀를 사랑하는 부모는 걱정이 증폭된다. 도시에서 생활하며 비교적 예전보다 한가해진 부모는 자녀 걱정에 사로잡힐 때도 있다. 아이에게 작은 상처가 생겼거나 친구나 교사 관계에 오해가 생길 경우, 이 감정을 완화해 줄 거름망이 없다. 그래서 질주하듯 학교에, 또 담임에게, 아이의 친구에게 감정을 쏟아내는 일이 있다.

예전에 비해 달라진 교육풍토가 아쉽다. 예전에는 비교적 아이들이 순한 모습을 보였고 아이들끼리 싸우거나 조금 다

쳐도 부모들은 너그럽게 대처했다. 서로 '우리 아이'라는 생각이 있었다.

언제부터인가 무엇 때문인가 학교 안으로 정치라는 놈이 쑥~ 들어왔다. 사실은 정권이 바뀔 때마다 정치적 목적이나 사상에 따라 새롭게 교육개혁을 제시하는 것이 흔한 일이었다. 학교에 대해 학부모들의 목소리가 커졌다. 요구사항도 많아졌다. 교권은 떨어지고 상대적으로 학생 인권이 주목을 받으며 두드러지게 나타났다.

고등학교에 근무했던 한 선생님은 학생들이 점점 힘들어지는 상황에서 퇴직을 맞았다고 했다. 오 교사는 퇴직 직전에 발생한 학교 폭력 문제가 살얼음판을 걷는 것 같아 얼른 퇴직하고 싶었다고 했다.

이 교사는 자신의 교직을 돌아보며 다음과 같이 회고한다. '내가 교직 생활을 제대로 못 했나?' '나만 그런가?' '학생들을 보는 나의 시각이 착하고 사랑스러웠나?' 또 교사에 대한 전통적인 기대로 볼 때 '나는 아름다운 정원을 가꾸는 정원사는 아니었나 보다'는 생각이 들었다고 했다.

선생님들이 젊은 시절에는 교사라고 잘난 척을 좀 했다고 한다. 교사를 보는 사회의 눈이 나쁘지 않아서 가능했다. 그런데 지금 교직 후배들은 불쌍하다는 생각이 들 때가 있다. 애들과 학부모에게 끌려다니는 것 같다. 어떤 이는 학생인권

조례가 이 상황을 부추겼나 하는 생각이 든다고 했다.

요즈음 교실 안에서는 학생이 영상을 찍어도 교사는 속수 무책인 모양이다. 정서학대라는 책임에 휘말리면 안 된다. 괜히 열정 부리지 말라는 선배 교사들의 조언이 이해가 간다. 요즈음 TV 방송에서 육아 솔루션 프로그램을 방영한다. 프로그램 속 주인공, 금쪽이. 그 금쪽이가 우리 반에 배정되면 미련 없이 명예퇴직을 선택하겠다고 말하는 선생님도 있다. 급기야 교사가 민원을 못 이기어 교내에서 극단적 선택을 한 사건이 일어나기도 했다. 이런 의미에서 보면 예전의 교육풍토가 더 좋았다는 생각이 든다.

5. 시공간으로 본 교직의 의미

보이지도 않고 만질 수도 없는데 도대체 시간이란 무엇일까?

사람이 자신의 경험에 관해 이야기할 때, 그 경험을 시간적 흐름에 따라 이야기한다. 또는 사건이 일어나는 장소와 그곳에서의 느낌과 사회적인 관계 속에서 일어나는 경험을 구성해 간다. 이에 선생님들이 살아온 교직 경험은 시간성, 공간성, 사회성으로 어떤 의미인가에 대한 이야기를 다음과 같이 서술하고자 한다.

시간을 말할 때 그것은 두 사건 사이의 관계를 의미한다. 우리는 주변의 자연이나 사물이 변해가는 것을 보고 시간의 흐름을 경험한다. 그러나 약 40년 동안 교직에 있었고 60년 이상을 살아온 교원들에게는 시간이라는 말보다 세월이라는 말이 더 적절하다.

선생님의 시간은 이러한 시간의 개념에 비추어볼 때 성장기, 교직 수행기, 그리고 퇴직 이후 미래에 펼쳐질 시간으로 볼 수 있다. 각급학교 선생님들은 성장기에 각자 주어진 환경에 적응하면서 어려움을 이겨내고 꿈을 키웠다. 그리고 교직을 선택했다. 학교급에 따라 유아, 아동, 청소년을 만나고 직장이라는 환경에 순응하면서 교사와 관리자로 발전해 나아갔다.

그리고 마침내 퇴직을 앞두고 있다. 이미 퇴직한 분들도 있겠다. 이미 퇴직한 분들은 퇴직을 맞이한 게 아니라, 만원 버스에서 인파에 떠밀리듯 그렇게 밀려 나온 것이 아닐까! 시간은 가고 있고 시곗바늘도 여전히 돌고 있는데 나만 혼자 덩그러니 밀려난 기분이다. 그래도 그들은 여전히 적응해서 잘 살고 있고 행복을 느낀다. 남은 과제는 앞으로 살아갈 시간이다.

개인은 누구나 '은퇴'라는 생애 사건을 맞이한다. 그 후 삶의 딜레마를 거쳐 타인 배려, 멘토링, 봉사활동 등으로 인간관계와 역할 변화를 잘 감당해내고 적응하여 사회적 통합으로 나아간다.

이처럼 현직에 있는 선생님들도 퇴직 이후에 다가올 미래까지 변화를 잘 감당해내고 발전하여 통합 감의 모습을 보일 것이다.

결국 선생님에게 시간은 발아와 성장을 의미한다. 식물이 싹이 터서 자라고 열매를 맺듯이 선생님에게 있어서 여태까지 지내 온 시간은 발아와 성장, 그리고 열매 맺음이다.

시간이 그러하다면 선생님이 살아온 공간은 어떠한 의미가 있을까?

'공간'이라는 단어는 무한한 우주공간으로부터 인간과 사물이 존재하는 '여지'나 '장소'를 나타낸다. 또 '시간적 의미의 지속'이나 '기간'을 나타내기도 하고, 원고의 '여백'을 나타내기도 한다.

공간은 시간의 흐름과 속도의 변화로부터 지속해서 영향을 주고받는다. 공간에 대한 지각은 인간이 세계를 바라보고 해석하는 관점에 따라 변화되어 온 과정이었다. 인간은 자연과 함께 지역이나 문화와 사회별로 차이를 보여 주는 공간 속에 존재해 왔다.

누구나 그러하겠지만 선생님은 한 가정에서 나고 성장하였다. 그리고 독립하여 가정을 이루고 아버지와 어머니로서 가족 구성원의 역할을 해냈다. 자신이 거쳐온 학교를 선택하여, 직장으로 삼아 다시 학교라는 공간으로 들어갔다. 그 안에서

전보와 승진 등으로 근무지 이동, 보직 변화, 직책변화 등을 여러 차례 겪으며 종횡으로 이동하며 생활하였다. 일부는 다른 직업을 거쳐 교직에 들어오기도 했지만, 승진을 위한 노력은 선생님들에게 특별한 의미가 있었다.

퇴직 이후는 생활반경을 넓혀 지역사회에서 종교나 복지시설 등 여러 기관을 경험하며 살아갈 것이다.

선생님에게 공간의 의미는 잘 분갈이 된 화분과 같다.

시간의 의미가 유전적으로 예견된 식물의 수직적 성장을 말한다면, 공간의 의미는 거름이 잘 펴진 넓은 곳으로 거처를 옮겨가며 발전을 가속하도록 작용한 환경이다. 여기에서 빼놓을 수 없는 것은 성장하기 위하여 부단히 애써온 선생님의 의지와 노력이다.

또 선생님에게 사회는 어떤 의미일까?

선생님은 퇴직이라는 이름으로 청춘을 바치고 열정을 다한 정든 교정을 떠난다. 배움의 시작부터 배움을 나누기까지 거의 일평생을 지낸 학교라는 작은 둥지를 떠나게 된다.

이 글에서의 사회는 선생님이 퇴직 이후에, 새로 소속감을 느꼈거나 앞으로 느끼게 될 학교 밖의 사회를 의미한다.

선생님들은 교직을 수행하면서 교사라는 직업의 특성으로서 보통 사람과 비교하여 월등한 정도의 숫자만큼 많은 피교육자에게 영향을 주었다. 선생님이 미치는 행위의 영향이 여

러 학생에게 미친다는 점에서 교사로서, 사회 역할자로서의
의미가 크다. 많은 선생님이 교사로서 학교에서뿐 아니라 자
신의 가정에서, 종교 기관에서, 지역사회에서 등, 많은 사람과
상호작용을 하며 제 역할을 해오고 있다.

그리고 마침내 퇴직하고 나면 직장을 떠나 학교 밖의 큰
사회에 합류될 것이다. 그리고 자신이 성장하고 생활해 온 교
직 생활에 감사하며 사회에 긍정적인 영향을 미칠 것이다. 이
미 퇴직한 선생님들처럼.

화분에 담긴 식물은 실내에 있어도 아름다움을 주고, 산소
를 주고, 습도를 조절하는 등 제 역할을 한다. 이 식물이 화
분에서 옮겨져 바깥세상에 나갈지라도 다른 식물들과 함께
어우러져 자연 속에 자리 잡을 것이다.

우리 선생님들은 학교 안에 있어도 제 역할을 잘 해냈듯이
퇴직하여 바깥세상에 나갈 때, 그 가치와 역할은 눈에 보이지
않더라도 지대할 것이다.

Part B. 퇴직의 의미와 현실

1. 교직 수행에 대한 숙고

교직에 대해 시·공간적, 사회적으로 그 의미를 살펴보았다. 교직에 몸담고 삼십 년 이상 살아온 개인의 삶은 퇴직의 시점에서 자신에게 어떠한 의미가 있을까?

직업은 수입을 목적으로 하는 비교적 지속적인 사회·경제적인 활동이다. 그리고 개인에게 능력과 강점을 발휘하게 한다. 직업은 개인이 추구하는 목표와 가치를 구현할 수 있는 자기실현의 장이다. 직업은 개인에게 자기정체감과 소속감을 느끼게 하여 사회적 상호작용의 기반을 제공한다.

직장은 직업인으로서의 각 개인이 몸담고 일하는 곳으로,

생활 중 대부분의 시간을 들여 자신의 직업을 수행하는 곳이다.

요즈음에는 평생직장이라는 개념이 거의 없어졌다. 직업 세계가 전문화되고 경쟁이 치열해짐에 따라 성인기 동안의 직업생활이 불안정해져 가고 있다. 직업이 고정되어 있기보다 전공이나 적성에 따라 여러 직업을 옮겨 다니며 자신의 능력을 개발하는 것이다.

실제로 사람들의 수명은 예전에 비해 크게 늘었다. 그러나 직장인으로 살아가는 수명은 급격히 줄어드는 세상이 된 것이다. 그런데도 베이비붐 세대의 교원들은 교사라는 직업을 평생직업으로 자리하고 살아오며 한가지 직업으로 평생을 보낸 일이 더 많았다.

퇴직은 전임의 고용상태를 완전히 끝내는 것, 또는 직위와 관련된 역할수행을 중단하는 것이다. 유급의 직위에서 물러난다는 의미이다. 개인에게 퇴직은 전 생애에 걸쳐 경험하게 되는 생애 중요한 사건 중 하나이다.

교직 수행에 대해 교원이 느끼는 의미는 매우 긍정적이다. 직업을 통해 성장해 왔으므로 교직을 자신의 성장기라고 느낀다. 성공적인 삶을 살게 해준 직업이라고 생각한다. 또 스스로 자랑스럽게 느끼게 되었고 자존감을 회복시켜 준 직업이다. 교직을 통해서 자신을 이해하게 되었다고도 한다. 퇴직을 앞두고는 행복한 생활과 감사하는 마음을 꼽았다.

학교는 공공기관이므로 사회를 위한 공익을 우선으로 한다. 누구라도 학교 안에서 사익을 챙기지는 않는다. 누군가가 교직을 일러 '보람으로 먹고산다' 라고 한 것과 같이 우리 모두 그렇게 살았다.

교원에게 퇴직은 어떤 의미일까?

다른 퇴직도 마찬가지겠지만, 교원들은 60살이 넘도록 건강했고, 그 직을 수행할 만한 능력을 지니고 있었다. 아직은 성장 중인, 여리고 미성숙한 생명을 돌보았다. 업무수행 중에 민원이나 사고를 비롯한 크고 작은 위기에 잘 대처해 왔다.

분명 정년퇴직을 맞이할 수 있는 것은 큰 영광이다. 그래서 마땅히 교원의 퇴직은 환영받을 일이다.

그동안 교직의 삶은 영광스러웠다. 사회적 관점에서 볼 때 교사로 퇴직했다고 하면 여러 의미로 부러워한다. 어떤 이는 퇴직 후에 맺어진 모임에서 교사로 퇴직했다고 말하지 않는다고 했다. 질투가 새로운 관계 형성에 부담이 된다고 한다.

사회의 관점에서 볼 때 퇴직 교원의 가치와 역할이 아무리 크다 하더라도 퇴직한 선생님에게 펼쳐질 개인의 행복을 간과할 수는 없는 일이다.

교원들은 퇴직을 앞둔 시점에서 퇴직이 다가옴을 실감한다. 학교 행사나 교육 활동을 새로 펼치고자 할 때 선생님들이 잘 따라주지 않는다. 그리고 그들의 주장이 커진다. 오 교사는 퇴직을 앞두고 마음이 담담하다고 생각했다. 그런데 교장으로서 마지막 훈화를 하는 도중에 울컥 올라오는 감정으로 이야기를 마치지 못했다. 속속들이 감춰놓았던 감성이 밀고 올라왔나 보다.

그렇게 퇴직을 맞이하면 살아온 인생을 되돌아보고 앞으로 어떻게 살아갈 것인가의 답을 찾기 위해 고민해야 할 것이다.

개인적으로 기대 여명이 늘어나 이제부터 30년 이상을 더 살게 된다. 퇴직 이후 개인의 삶이 부각 되는 이유이기도 하다.

이미 퇴직한 사람도 있겠지만 아직 퇴직하지 않았더라도 직장을 다닐 수 있는 기간은 몇 년 안 남았을 거다. 누구나 퇴직하고 나면 길어진 노년의 세월에 '무얼 하고 어떻게 살지?' 라는 생각을 하게 된다. 물론 연금이 있겠지만 그래도 몸을 움직여서 무엇이든 활동을 해야 할 텐데....

그래서 숙고하게 된다. 내가 다닌 학교라는 직장은 어떤 곳이었나? 좋은 일터였나? 교직에 종사한 긴 세월이 나의 능력을 계발하는 기회가 되었나? 아니면 소진하는 일터였나? 요샛말로 노예계약은 아니었나? 인생의 황금기를 나는 어디에서 어떻게 보냈는가?

생각해 본다. '나 자신' 이라는 개인으로서의 가치를 어떻게 평가할 수 있을까? 퇴직하고 나오면 할 수 있는 일들이 있을까? 교직 생활이 퇴직 후의 생활에 어떻게 도움을 줄 수 있을까?

'부읽남 유튜브'의 정태익 대표는 퇴직의 의미에 대해서 다음과 같이 말한다.

> 정년퇴직은 나쁜 겁니다, 인생의 황금기를 잘 써먹고 한 살 더 먹으면 잘라도 된다는 말입니까? 누가 퇴직 나이를 정해놓았습니까?" 정년퇴직은 더 열심히 일할 수 있고, 일해도 되는 사람을 잘라도 된다는 것입니다. 회사를 위해서 만들어 놓은 개념입니다. 회사의 복리후생은 성과를 내기 위한 달콤한 당근책입니다. 영광스러운 정년퇴직?, 이것은 누구의 말입니까?

우리 세대는 특히 제도에 순응하는 교육을 받아왔다. 게다가 교직은 피교육자에게, 문화를 받아들이고 적응하도록 교육한다. 피교육자를 대상으로 하는 교사의 직업 특성이다. 특성상 현존하는 문화를 받아들이는 분위기여서 다른 생각을 할 여념이 없었다. 주어진 업무에 열중할 뿐이었다. 교원의 정년퇴직 연령이 3년이나 뚝 잘려 나갔던 일은 이미 잊었다.

올해 2월 8일 자 아시아경제신문 기사에 실린 내용이다. 인용하자면, '사회관계망서비스(SNS) 관리사에 근무하던 헤르난데스씨는 대량 해고를 경험하였다. 그리고 기업이 직원의 충성심에 보상하지 않는다는 사실을 깨달았다. 그는 "사업체는 사업체일 뿐이고 나는 특정 업무를 위해 고용됐을 뿐"이라고 했다.'

위에서 언급한, 퇴직에 대한 부정적인 의견들에 동의하지 않을 수도 있다. 정년퇴직이 있는 것은 정년까지 취업을 보장해 준다는 의미이니 감사한 생각을 가질 수 있다.

퇴직에 관하여 어떠한 의견을 가지더라도 개인적으로는 퇴직 이전의 일터를 회고하면서 퇴직 후에 맞이하는 길어진 노년을 생각하게 된다.

어떤 이는 재직 중에 급여나 시간의 5%만이라도 사용하여 자신에게 투자하지 않은 것을 후회했다. 무엇인가 하지 못한 이유로, 진정으로 자신에게 용기가 없었다고 말했다. 이 글을 읽는 선생님은 지금 바로 용기를 발동할 때다.

교사는 평균 근무연수가 타 직장보다 길다. 2022년도 교육통계 연보에 의하면, 초등교원의 11.44%, 중등교원의 15.91%, 일반계고등학교 교원 전체의 14.05%가 경력 30년 이상이며, 경력 40년 이상인 교원도 2,000여 명이나 있는 것으로 나타났다.

하나의 직종에서 30년 이상 종사한 사람들은 은퇴 후에도 그들의 직업의식에서 쉽게 벗어나지 못한다. 자신이 하는 일 자체에 가치를 부여하고 그 일을 통해 세상을 좋은 방향으로 이끌어간다는 소명 의식이다. 이런 경우는 일에 대한 몰입도가 높다. 몰입도는 어떠한 일에 깊이 파고들거나 빠지는 현상이다. 굳이 예술가나 기술자의 직업과 비교한다면, 교원은 이들과 달리 의도하지 않고 뚝 잘려 나가는 정년퇴직이 있다는 것이다.

은퇴 전 일자리에 대한 만족도는 은퇴 후 행복할 가능성에 정적인 영향을 미친다. 그러나 일자리에 대한 몰입도가 높은 경우에는 퇴직 이후 행복에 부정적인 영향을 미친다.

교원은 비록 일자리에 만족하였다고 할지라도 소명감과 장기간의 근무로 인해 일자리에 대한 몰입도가 매우 높다. 교원의 은퇴는, 정해진 퇴직일이지만 의도하지 않은 퇴직으로서 더 큰 상실감을 경험하게 된다.

교사가 직업에 몰입한 정도는 다음과 같이 나타난다.

> 퇴직까지 직장생활, 내 경력을 아주 흠 없이 완벽하게 마무리 지어야 한다는 생각. '내 책임과 의무를 다해야 한다.' 그 생각이 훨씬 더 강했어요. 끝까지 내 할 일 '제대로 하겠다'라는 생각만 있었지. 퇴직 후에 어쩌자 그런 건 없었고.

> 자리가 미래를 생각할 만큼 한가한 자리가 아니에요. 전혀 생각할 수가 없었어요. 오로지 직장에 대한 것밖에 없었어요. 다 똑같았을 거예요. 나오는 날, 그 마지막 도

장 찍는 날까지.... 마지막 날까지 일해야 하고, 잘 끝내야 되고, 평생 그렇게 살았잖아요. 바쁘게 그렇게. 전혀 안 된 거예요, 이후 준비가.

우리의 삶은 퇴직과 함께 끝나지 않는다. 30~40년간 일만 하다가 퇴직하여 곧바로 잘 살기는 쉽지 않다. 그동안 벌기 위해 살았다면 퇴직 이후는 놀기 위해 살아야 한다. 단순히 놀기 위해 살기보다는, 직업과 관련되어있던 자신의 정체감에서 벗어나 진정한 자아를 찾아가야 한다.

퇴직이 그동안 열심히 일한 나에게 주어진 달콤한 보상이라 해도, 적응 기간이 필요할 것이다. 그렇다면 퇴직을 위한 마음의 준비는 어찌해야 할까?

2. 퇴직 준비는 되어가고 있는가?

어릴 적에 학교에 가려면 숙제를 해서 꼭 챙겨 갔다. 숙제를 안 하고는 학교에 못 가는 줄 알았다. 벌을 서거나 손바닥을 자로 두 대 맞거나, 고학년 때는 화장실 청소를 해야 했다. 그런데 퇴직을 하려면 무엇을 준비해야 하지? 챙겨 갈 숙제가 있을까?

교직을 수행하고 퇴직하는 많은 사람이 '대과 없이' 퇴직함을 다행스럽게 생각하는 것을 보게 된다. 학교 분위기도 많이 변화하여 요즈음은 선생님들이 예전 같지 않게 여러 힘든 여건 속에서 무사히 퇴직을 맞이하기란 쉽지는 않을 것이다.

예전 우리가 성장할 때와는 달리 시대가 많이 변했다.

요즈음의 학부모들은 대부분이 핵가족 안에서 성장하였다. 그 학부모도 한두 명뿐인 자신의 자녀를 생각하는 방식이 대가족 속에서 성장한 예전 학부모와 다르게 힘들 것이다.

나름대로 식구 수가 적은 핵가족 안에서 성장한 아이들도 자녀 위주로 살아왔으므로 학교생활이 힘들 것이다. 학교 폭력도 있다. 학교 분위기가 많이 힘들어졌으니 대과 없이 맞이하는 퇴직은 축하받을 만하다. 다음의 이야기가 현실을 증명해 주고 있다.

> 빨리 퇴직하고 싶었습니다. 왜냐하면 퇴임하는 학교에서 학교 폭력 문제로 힘들게 하는 아동들이 몇 명 있었어요. 보통의 문제보다 훨씬 심각해서 살얼음판을 걷는 기분이었기 때문에, 당시 기분으로는 빨리 퇴직을 하는 게 좋겠다. 무사히 퇴직하는 게 내가 소원하는 그런 점이었죠.

무사히 퇴직하게 된다면 단지 다행일 뿐이다. 요점은 '퇴직 이후를 어떻게 대비했는가?'이다.

필자가 퇴직을 앞두고 연수를 받으며 누군가에게 전해 들은 이야기이다. 퇴직을 앞둔 한 유치원 원장에게 만나는 사람마다 퇴직하면 무엇을 할 것인지 묻더란다. 그 원장님이 갑자기 화를 내며 "여태까지 40년이 다 되도록 일했는데, 퇴직하면 무엇을 할 거냐고 왜 자꾸 물어? 무얼 또 하라고? 나 이제 편히 쉴 거야!" 라고 했단다. 맞다! 그 말이 맞는다.

대부분 퇴직을 앞두고 손주를 돌보겠다거나 여행을 다니며 편히 쉴 거라고 말하지만 남들이 자꾸 묻는 데는 이유가 있다. 돈이 필요하니 어떻게 살 것이냐는 의미가 아니라는 것은 누구나 안다. 그것은 아직 너무 젊고 여력이 있어서 그냥 쉬기에는 적절하지 않아 보인다는 객관적인 증거가 아닐까?

퇴직 이후에 '시간을 편히 보내겠다' 라는 생각과 '시간을 마음껏 쓰겠다' 하는 두 생각이 어떤 차이가 있을지 생각해 본다.

은퇴와 관련된 몇 연구를 보면 '은퇴 준비' 라는 개념이 등장한다. 박근수(2014) 등은 은퇴 준비를 이야기하면서 5가지 퇴직 기대유형을 도출하였다. '강요된 좌절', '새로운 출발', '휴식', '경력의 완성', '계속'" 의 다섯 가지이다.

여러분은 어떤 유형의 퇴직을 기대하고 있는가? 퇴직에 어떠한 의미를 부여하고 있는가? '새로운 출발' 인가? '강요된 좌절' 인가? 아니면 '계속' 인가?

퇴직하면 그냥 쉬면 될 터인데. 아무 스트레스 없는 자유가 기다린다. 이 경우 퇴직 기대는 '경력의 완성', 혹은 '휴식' 일 것이다.

다음은 퇴직에 관해 새로운 출발을 기대한 경우다. 김 교사는 퇴직 후에 무엇이든지 할 수 있을 것 같았다. 학교생활에서 이룬 성취 경험으로 퇴직하여서 할 수 있는 일이 많을 것 같았다. 전공과 관련된 몇 가지 자격증도 미리 따놓았다. 막상 퇴직하고 세상에 나와보니 모두 쓸데없는 일이었다.

은퇴와 관련된 한 연구에서 퇴직예정자는 미리 노후의 삶을 위하여 적극적인 자세로 퇴직 준비를 하고, 국가 및 기업은 퇴직예정자를 위한 재무 교육의 필요성을 주장한다. 이러한 경우는 은퇴를 '새로운 출발', 혹은 '계속' 일 것이다.

내가 만난 일부 퇴직자들은 퇴직 후에 느낀 경험에 대해서 다음과 같이 이야기한다.

교육계에 들어와서 할 수 있는 건 다 한 거야. 그래서 퇴직 후에 자신이 있었는데...... 막상 나와보니까 할 게 없는 거야. 너무 실망했어요. 현직에 있을 때 문화해설 공부를 하러 다녔지. 참 많은 애정을 갖고 공부했는데 지금 회의를 느끼는 게, 쓸 방법이 없어. 역사도 전공했겠다. 아는 것도 많지. 오랫동안 가르쳤겠다, 교장까지 했지, 전국에 답사도 다녔겠다, 뭐. 이 정도면 뭐든지 할 수 있을 것 같은데, 오라는 데가 없어.

나와서 뭘 할 것인가? 한 5년 전부터 미리 준비해야 하지 않나? 확실한 신념이 있어야 하고. 어떤 기술을 배운다든지 하다못해 한옥 만드는데 가서 목수 일이라도 배워. 아니면 보일러를 고치든지. 뭐 그런 기술을 좀 배우면, 밖에 나가서 할 수 있는 일도 있고 봉사도 할 수 있는데, 그냥 알았던 지식만 갖고는 할 수 있는 게 없어요.

나름대로 퇴직을 준비했다. 하지만 아무 소용이 없었다.

퇴직 이후의 생활에 자신이 있었지만, 막상 나와보니 그렇지 않더라는 이야기이다. 학교라는 울타리 안에서 가지게 되는 생각과 울타리를 벗어나서 느끼는 세상은 다르다. 누군가 한 이야기가 생각난다. 학교는 봄날의 온실 안과 같아서 밖에 나가도 따스한 햇볕만이 있을 것 같았다. 막상 온실을 벗어나 보니 온실 속에는 없던 매서운 봄바람이 살을 에는 듯하다고.

돌이켜보면 우리 모두 대학에서 교직과목을 이수하고 교사자격을 갖추고 교단에 섰다. 교직 수행 중에는 교수 역량을 키우기 위해 지속하여 노력해 왔다. 원격 연수나 출석 연수 등으로 1년에 수십 시간씩 온 오프라인의 직무연수를 받았다. 남들이 말하기에 선생님들은 방학이 있어서 좋겠다고 말하지만, 방학 때는 몇 차례에 걸쳐 상위의 자격연수와 자율연수를 받았다. 그뿐 아니라 많은 사람이 개인적으로 현장 연구를 수행하기도 했다. 대학원에 진학하여 학위를 취득하기도 했다.

교사로서 현직에 있으면서 자신의 역량 강화를 위해 끊임없이 노력하였다. 안정된 직장에 몸담고도 이렇게 노력해 온 선생님은 인생의 다음 단계, 즉 퇴직 이후를 위하여 어떠한 준비를 하고 있는가?

학교에 다닐 때처럼 숙제는 없다. 연수물을 제출하지 않아도 된다. 하지만 건강도 챙겨야 하고, 돈도 충분한지 살펴야 한다. 또 외롭지 않게 모임도 잘 유지해야 한다. 준비해야 할 것이 많다.

당신의 퇴직일은 얼마나 남아있는가? 어떻게 해야 퇴직을 잘 맞이하는 것일까? 퇴직하고 나면 무엇을 할 것인가? 놀기 위해 어떤 준비가 필요할까?

'부 캐'라는 말이 있다. 부가 캐릭터를 줄여서 말하는 것으로 인터넷 게임에서 메인이 아닌, 부계정을 일컫는 말이라고 한다. 어떤 이의 두 번째 캐릭터를 '부 캐'라고 소개하는 말을 방송에서 어렵지 않게 듣게 된다. 방송인 유재석이 '합정역 5번 출구'라는 노래를 하며 가수 유산슬로 데뷔했다는 말을 한동안 들었다. 김신영은 '다비 이모'라는 부 캐릭터로 '주라주라'라는 가수 활동을 했었다. 선생님의 부 캐릭터는 무엇인가?

정신과 의사인 이근후 박사는 이따금 한 번씩 생활에서 일탈(逸脫)해 보라고 말한다. 그가 말하는 일탈이란 비위(備位) 행동이 아니라 일상의 관습에서 벗어나는 일상 탈출이다. 일탈해서 직장을 그만두었을 때 무엇을 해야 할까에 대한 답을 찾을 수 있어야 한다고 한다. 정년은 대나무의 마디처럼 또 다른 시작을 알리는 계기가 되어야 한다고 말한다. 일과 여가는 따로 떨어져 있는 것이 아니다. 일 속에서 즐거움을 찾고 즐거움 속에서 아이디어를 얻어보자.

어떤 남성 퇴직자는 젊은 시절에 문득 시가 쓰고 싶었다. 가정을 이루고 직장을 다니느라 삶이 참으로 힘들었던 때였다. 가정과 직장 모두 바쁘다는 핑계로 쓰지 못한 것이 가장 후회되는 일이라고 했다. 나이가 들고 보니 시간은 많은데 시상이 떠오르지 않는다고 했다.

나는 당신을 응원한다. 이제라도 하고 싶은 게 있으면 시작하라고. 앞으로 40년의 세월이 있으니, 무엇을 하더라도 아직 늦지 않았다고.

평소에 하고 싶은 일을 퇴직 이후로 미루지 않아야 한다. 퇴직 이전에 적은 돈과 시간을 들여서 아주 조금씩 실천하는 것도 일종의 퇴직 준비가 아닐까? 주말이나 퇴근 이후의 자투리 시간을 이용해도 좋다. 이 작은 투자와 행동이 퇴직 이후에 뜻밖의 재미와 의미가 되어줄지 아무도 모른다.

재미있었던 것이나 젊었을 적 이루지 못했던, 그리고 자신이 할 수 있는 것이면 된다. 잠재되어 있는 자신을 깨워 재능을 찾기 바란다. 퇴직 후의 거대한 무엇이 아니라, 의미를 찾을 수 있는 소소한 재미와 활동이다. 즉 어떤 사업이나 투자가 아닌, 하루 일상을 지낼 활동이다.

하지만 퇴직 준비로 놓칠 수 없이 중요한 것이 있다. 퇴직 이후에 겪게 되는 정서에 관해 미리 이해하는 것이다. 일하지 않는 기간이 마냥 좋은 것만이 아니다. 다음에 기술했듯이 어느 정도의 기간을 보내고 나면 힘들어질 수 있다. 늘 생활하던 루틴이 깨지면서 마음의 혼란과 함께 상실감도 느낄 것이다.

나는 친정엄마가 돌아가시기 전에 '한 달도 못 사실 것 같다' 하고 생각했다. 막상 돌아가시고 난 뒤에 오는 감정에 대해서는 미처 상상을 못 했었다. 엄마가 돌아가셨는데, 그건 하늘이 무너진 건데, 그래도 멀쩡히 돌아가는 세상이 의아했다. 어머니가 돌아가신다는 사실은 알았지만, 그 이후에 오는 감정은 몰랐던 거다. 퇴직한다는 사실을 아는 것과 퇴직 후에 오는 감정을 아는 것은 별개다.

이 책을 읽는 선생님들은 다음에 오는 내용에서 간접적으로나마 퇴직 후의 심리를 알게 되기를 바란다. 그것이 부정적인 마음을 이겨내는 데 도움이 될 것이다.

3. 일하지 않는 즐거움의 유통기한

얼마 전 주말에 남편과 함께 농장으로 이동하는 길이었다. 운전하면서 옆에 앉은 남편이 전화하는 소리를 듣게 되었다. 전화 상대가 퇴직한 지 얼마 지나지 않은 직장 후배인가 보다.

퇴직하고 어떻게 지내느냐고, 무엇을 하며 지내느냐는 남편의 질문에 전화 상대가 무척 바쁘다고 이야기하나 보다. 서로 주고받는 말 중에 "백수가 더 바쁜 거야". "백수가 과로사 하니 조심해" 라고 농담 섞인 말을 주고받으며 웃는 소리를 들었다. 재직기간 동안 하지 못했던 것들이 있을 테니 그럴 만도 하다.

그러나 나의 퇴직 경험을 떠올려보자면 꼭 그렇지만은 않다. 30여 년 동안 직장을 다닌다고 밖으로 나돌았으니, 주부로서 예전에 보이지 않던 일이 많이 보였다. 그런데도 남이 어떻게 지내는지 물어올 때, 퇴직 이후에 오는 상실감에서 나를 방어하게 된다. '나 걱정하지 마, 잘 지내고 있어'. 이런 뜻이다. 챗바퀴에서 혼자 굴러떨어져 나왔지만 그래도 '잘살고 있다'라는 자기 상실감의 역설적인 표현일 수도 있다.

그래도 퇴직하니 좋은 것들이 참 많다. 여유로운 쇼핑과 식사, 방학이 아니라도 떠날 수 있는 자유로운 여행, 책도 실컷 볼 수 있다. 동네에 있는 도서관이나 복지관, 주민센터 등에서 배울 수 있는 것들이 많아 기관의 홈페이지를 뒤져가며 그동안 배우지 못한 것들도 맘껏 배울 수 있다.

퇴직하고 나니 그동안 보이지 않던 유튜브 채널이 눈에 들어왔다. 유익한 채널과 내용이 많이 있었다. 시간이 많아 자칫 게을러질 수 있는 내게 자기 계발을 독려하는 유튜브의 내용은 퇴직한 노령임에도 삶에 동기유발이 되었다.

마룻바닥에 배를 죽 깔고 누워 책을 읽는 것도 참말 좋다. 책을 읽다가 지루하면 일어나서 집 안을 정리했다. 물건들이 제자리를 잡으니 정리된 모습을 돌아볼 때 기분이 좋았다.

활동 하나하나가 자유롭고, 나날이 행복한 일상이었다. 어느 날은 우연히 TV에서 가요 프로그램을 접하게 되었다. 그곳에서 본 남자 어린이의 노래가 얼마나 좋던지, 유튜브를 뒤져가며 그 어린이의 노래 영상을 모두 보았다. 그리고 남편을 졸라 그 어린이의 첫 콘서트에 참여했다. 난생처음으로 한 팬 활동이었다. 누군가를 좋아한다는 게 얼마나 행복한지. 이러한 행복 모두가 퇴직하지 않았다면 불가능했던 경험들이다.

스스로 참여하고 누리는 여가활동은 직업과 달라서 긍정적인 기분을 느끼게 하고, 내재적인 욕구를 충족시킨다. 또 다른 사람과 함께 하는 여가활동은 대인관계를 촉진 시키고 정체성 형성에 도움을 준다.

하지만 시간이 많다고 해서 삶의 만족감이 지속되는 것은 아니다. 퇴직 이후 첫날, 3월 2일이나 9월 1일에 갈 곳 없는 상황이 조금은 어색하다. 일부 퇴직자들은 퇴직 초기에 습관적으로 자꾸 시계를 보게 되고 '지금 3교시쯤 되겠다.' '지금 점심시간이네.' 하면서 학교에서의 시간을 머릿속에 그리게 된다고 말한다. 책을 실컷 읽어도 남는 시간이 버겁다고 한다.

시기를 가리지 않고 아무 때나 갈 수 있는 여행이지만 여행을 지속할 수는 없는 노릇이다. 그토록 갈망했던 여유가 퇴직하고 얼마 지나니, 생각지 못한 짐인 듯 느껴진다. 긴 하루가 무료하고 성취감을 느끼지 못하는 생활이 힘들다. 더 이상의 여유는 환상이었나!

다음은 퇴직한 선생님들이, 시간은 많은데 할 일이 없는 상황에 대해 묘사한 말이다.

퇴직한 다음 날. 하루 쉬고 3월 2일 날 일어났어. 갈 데가 없는 거야. 퇴직했으니까 시간이 널널하잖아. 그러니까 '아, 이상하다!' 익숙지 않아서. 이제 내려놓고 쉬어야 할 때인데, 쉴 줄을 모르는 거야. 안 쉬어 봐서. 시간이 너무 무겁게 눌렀어요. 뭘 해야 하지? 뭔가를 해야만 될 것 같은 그런 생각에 안절부절. 시간이 갑자기 주어지니까.

아침에 눈 뜨면 '오늘은 무얼 하며 어떻게 지내지?' 뭔가 할 수 있는 일이 있다는 것이 퇴직 생활에는 가장 중요한 요소지 않는가 싶어요. 전혀 할 일이 없다는 것은 그게 참 정말 죽음일 것 같아요.

한계효용체감의 법칙인가! 많이 가진다고 해서 마냥 좋기만 한 것이 아니라는 생각을 다시 하게 된다.
과유불급(過猶不及)이라 할까? 부족한 것도 문제지만 지나치게 많은 시간도 문제인가 보다.

4. 한마디 말도 안 했고, 한번 웃지도 않았다

아무도 없는데 빈방에서 나 혼자 말하고 나 혼자 웃을 수 있을까?

삼육대학교의 서경현 교수는 퇴직에 따른 역할 상실은 퇴직자에게 무능력감이나 무가치감을 느끼게 한다고 한다. 또 '신체적으로나 심리적으로 위축되어 쇠약해지며 노인들에게는 큰 스트레스가 된다' 라고 하였다.

이러한 퇴직 스트레스에 처음 맞닥뜨렸을 때 퇴직자들은 다음과 같은 감정을 느끼고 불편한 마음을 나타낸다.

'무료함이 느껴진다.', '무엇이 비정상인 것 같다.'

'자꾸 나태함을 경계하게 되고 시간을 허투루 보내지 않아야 할 것 같다.', '무엇인가 해야만 할 것 같다.', '왠지 부담스럽다.', '괜스레 걱정된다.', '공허하다.'.

그리고 왜 이렇게 불편한 마음이 드는지 생각해 본다.

바쁘고 구조화된 일상에서 지내다가 벗어나서 무료한가 보다. 퇴직했으니 걱정 안 해도 되는데 왜 걱정이 되는지 모르겠다. 퇴직하고 쉬어야 할 때인데 안 쉬어봐서 쉴 줄을 모르나 보다.

퇴직 직후에 선생님 대부분은 아직 퇴직 생활에 적응이 안되어 외로움과 우울감을 느끼게 된다. 이 상황이 감정적으로 혼란스럽다. 그 마음을 퇴직자들은 다음과 같이 나타낸다.

> 요즘에는 목표가 없어졌어. 그러니까, 이 뭔가 목표가 있으니까 도전을 하잖아? 그랬는데 요즘엔 하루하루가 그냥 사는 거지. 몇 개월 집에만 있다 보니까 무엇보다도 좀 외롭고, 또 무료함, 이런 것이 좀 힘들더라고요.

> 갑자기 뚝 떨어지게 아무것도 일이 없어. 그러니까 너무 우울한 거예요. 난 뭐를 어떻게 하지? 나갈 수도 없고. 그렇다고 어디 가서 떠들 사람도 없고. 이건 뭐야? 그냥 마음이 늘 그렇게. 막연하게 운동만 하지만, 실질적으로 노는 방법을 모르고.

오늘 뭐 하지? 어떻게 지내지? 하루하루 그랬다. 목표 없는 삶이다. 목표가 없으니 도전할 필요도 없다. 그냥 사는 거다. 여유로운 상황이 오히려 삶을 뒤흔들고 있다. 어떨 때는 죽고 싶은 마음도 있었다. 갈 곳이 없고 할 일도 없는 상황은 너무나 낯설다.

문득 생각해 보니까 나 오늘 아무하고도 이야기하지 않았다. 아침부터 오후 늦게까지 말을 한마디도 안 하고 지냈다. 당연히 웃지도 않았다. 막연하지만 무엇인가 비정상이다.

'죽음의 수용소에서'의 저자이며 의미치료를 주장한 Viktor Frankl(빅터 프랭클)은, 실존적 공허감은 긴장이 풀리고 해이해지거나 권태로운 상황에서 올 수 있다고 한다. 즉 사람에게 진정 필요한 것은 긴장이 없는 상태가 아니라, 가치 있는 목표를 향한 노력과 분투라고 한다. 퇴직 이후에 모든 사람에게는 가치 있는 목표가 필요하다!

Viktor Frankl은 삶의 의미를 발견하는 세 가지 방법을 제시했는데 '창작하거나 행위를 함으로써', '누구와 접촉하거나 무언가를 경험함으로써', 그리고 '피할 수 없는 고난에 맞서는 태도로써'라고 한다.

삶의 의미에 있어서 우리의 퇴직은 피할 수 없는 고난일까? 창작의 기회일까?

5. 무엇인가 잃어버렸다

퇴직하기 전에는 교사들이 늘 주변에 있었다. 그리고 학생들도 있었다. 교직 동료들과는 수업 이야기를 했고 후배에게는 발전을 위해 격려했다. 학생들과는 끊임없이 상호작용 했다. 그런데 이제는 아니다. 주위에 아무도 없다.

한국 트라우마센터에서는 '상실'은 가치 있다고 생각하는 어떤 대상과의 관계가 끊어지거나 헤어지는 것, 가치 있다고 생각하는 것을 박탈당함을 뜻하며 '상실감'은 무엇인가를 잃어버린 후의 느낌이나 감정 상태를 말한다고 한다.

교원들은 재직 중에 쉬지 않고 자기실현을 위해 움직이고 학생을 위해 가치를 생성하고 전수해 왔다. 이렇게 살아온 교원에게는 퇴직 이후에 겪게 되는 상실감이 있다. 일과 직장에 몰입했던 사람들에게 퇴직은 어린이가 놀이터와 친구를 동시에 잃어버리는 것 같은 트라우마를 느끼게 된다.

남성 가장의 경우에는 퇴직 이후, 가정에서 가장의 자리에 대한 상실감과 외로움을 함께 느낀다. 소속도 없는데 쓸모조차 없어졌다는 생각이 든다. 무엇인가 해결하고 났을 때의 뿌듯함이 저 멀리 달아났다.

일부 남성의 경우, 퇴직하고 나서 가정에서 느끼는 자리나 대우도 이전과 다르다고 한다. 퇴직 전에는 능력 있고 괜찮은 아버지였는데 이제는 가족의 의사결정에서 배제되는 기분이 든다. 가장으로서의 영향력이 점점 없어지고, 또 영향을 발휘해서 낼 수 있는 성과가 없다는 것을 알게 되니 더 서운하다. 그러나 받아들일 수밖에 없다.

대체로 퇴직한 여성은 덜 힘들어한다. 퇴직 이전에도 직장일 외에 여러 집안일과 자녀교육 역할을 하면서 일과 생활을 균형 있게 해 왔기 때문이다. 개인차가 있겠지만 다른 사람들과 정서적인 관계를 잘 맺어서 퇴직 전후에 모임도 남성보다 더 활발하다.

선생님들이 다 내 영역 안에 있었잖아, 다. 그런데 퇴직하고서는 없잖아요. 권위, 권력, 이런 게 없죠. 그래도 원장을 하면서 내가 무얼 했는데, 그런 게 이제 아무것도 없잖아. 그 상실감이 크죠.

퇴직 전에는 괜찮은 아버지고, 괜찮은 남편이고. 퇴직하고 나서 드는 생각이 '독거노인'. 왜냐하면 같은 공간에 있어. 그렇지만 어떤 일을 의논하지? 나는 의사 결정 과정에 참여를 못 해. 옛날에는 내가 가장으로서 경제적인 능력이 있고, 모든 걸 다 결정할 수 있어. 가장 중요한 결정을 할 때는 내가 결정해. 근데 이제는 영향력이라는 게 점차 줄어. 내가 영향력을 발휘해서 성과를 얻을 수 있는 게 없어. 그러다 보니까 점점 외로워지게 돼.

하지만 한편으로 보면 전에는 무심코 넘기던 작은 일들에 대해서 퇴직 후에 더 섭섭함과 소외감을 느끼고 있는 것은 아닐지 생각해 볼 일이기도 하다.

사람들 간의 소통 방법에 나 전달법(I-Massage)이라는 게 있다. 자신의 감정을 자기의 입장으로 전달하는 방법이라고 해야 더 쉬울 것 같다. 상실감이나 소외감을 느낄 때는 슬그머니 자신의 기분이나 상황을 이야기하자. "내가 도울 수 없어서 미안하네. 소외된 기분이 들어 조금 섭섭하네." 라고.

6. 갈 곳도 없고 돈도 없다

어디 갈까? 누구를 만나지? 아차! 밥값도 있어야 하는데....
에이, 설마 공무원연금을 받는데 돈이 없다고?

일반적으로 여성 노인이 남성 노인보다 친구와 이웃을 비
롯한 다양한 관계망을 가지고 있다. 그래서 남성 노인보다 더
활발한 사회활동을 하고 있다는 연구가 있다. 연구에서는 가
족의 지지와 사회적 지지가 많을수록, 주관적 건강 상태가 좋
을수록, 종교를 가질수록, 노인의 자아 정체감이 높다고 한다.
연구는 가족지지가 더 많이 요구되는 고령자에 대한 가족
의 지지 활성화 노력이 이루어져야 함을 시사하였다. 다음은

남성 퇴직자의 마음 이야기이다.

나이 든 여자들은 남편하고 같이 있는 게 엄청 부담되는 거야. 그래서 아침에 나가고 저녁때 들어오는 걸 원해. 하지만 평생 직장생활을 했는데 또 하라고 강요를 하니까.... 아유, 요즘 아내로부터 스트레스를 많이 받아요. 평생을 같이 살아온 사람인데, 나를 아직도 이해를 못하고 자꾸 '몰아 붙인다'고 하나? 이제는 도망갈 곳이 없어. 그전에는 집에 있질 않았어. 근데 지금은 나가고 싶은데, 갈 데가 없어 못가. 아! 어떨 때는 '진짜 죽고 싶다' 하는 생각이 들 때도 있어. 최근에 내가 너무 속이 상해서 집을 나가려고 그랬어. 근데 현실적으로.... 내가 잘못 산 게 아닌데. 내 딴에는 진짜 한 분야에서 열심히 살았는데....

퇴직한 가장에 대한 가족의 지지가 요구되는데도 실상 퇴직한 가장은 가족의 지지보다 부담을 느끼게 되는 경우가 많다.

한편, 남편이 퇴직하여 집에 있으면, 전업주부였던 아내는 그때부터 전일제 직장에 취업한 듯한 부담을 느낀다. 메뉴를 달리해야 하는 하루 세 끼의 식사 준비가 힘들다. 어떨 때는 할 일이 더 많은 것도 아닌데 이상하게 옆에 머무는 남편의 존재가 부담된다. 쉬고 있어도 쉬는 것 같지 않다.

교장으로 퇴직한 김 교사는 목적 없는 삶이 답답하여 인근 학교에 배움터지킴이로 나갔다. 하지만 재직할 당시와 달라진

지위의 차이를 이겨내기 쉽지 않았다. 가장 힘들었던 것이 점심 식사 시간이었다. 급식비를 내고 먹는 점심이 공짜 밥을 먹는 것처럼 불편했다. 다른 일을 하게 된 계기로 배움터지킴이 일을 그만두었다. 그랬더니 아내가 하는 말이 '그 좋은 데를 왜 그만두었느냐?' 고 했다. 서글펐다. 점심 식사 한 끼 먹기도 마음 편하지 않았는데, 좋은 직장은 누구를 위한 좋은 직장이었냐는 생각이 들었다. 퇴직한 선생님에게는 따뜻한 가족의 지지가 필요하다.

대부분 선생님은 온실에서 정글로 나가면서 추위 대비는 안 했다. 퇴직 후에 느끼는 돈 이야기다. 혹자는 퇴직하고 나서도 수입이 필요하다. 학자금 대출이 남아있어서 받을 연금이 줄었다. 그러니 여러 가지 일을 찾게 된다. 하지만 비유하자면 온실 밖의 일은 손발이 시려서 어떨 때는 눈물이 난다.

생활하기 위해 당장 일을 하느라, 모임 참석이 어렵고 꺼려질 때도 있다. 예전에는 친구에게 멋지게 밥도 샀지만, 이제는 쉽지 않다. 경조사비도 부담이고 마음이 위축된다. 이게 생활고라고 하는 걸까?

퇴직할 시점에서 경제적인 사정은 각각 다르다. 35년 이상 근무하고 받는 연금액이 어느 정도 정해져 있다고 하더라도 모든 퇴직자가 그만큼의 연금을 받는 것은 아니다.

퇴직 이전에 어떻게 무난하고 순탄하게 살았는지, 특정 부분에 지출할 일들이 많이 있었는지, 퇴직 전에 부채가 남아있어서 탕감이 필요했는지 여부에 따라 모두 상황은 다르다. 그러니 남들이 상상하듯, 연금을 받는다고 해서 모두 여유롭게 사는 것은 아니다.

퇴직하고 나면 부채가 없다손 치더라도 재직 시절에 받던 월급보다 반 이상 줄어든 연금 수령액이 체감된다. 왜냐하면 각종 수당이나 출장비가 없다. 성과금, 명절 휴가비, 정근수당 등 모든 것이 없어졌다. 쥐꼬리만 한 출장비와 복지포인트조차 없다. 그래도 소비는 줄일 수 없어 예전과 같이 지출해야 한다. 명절 휴가비 없이 부모님께 효도도 해야 한다.

퇴직 전에, 우리 남편이 자신은 월 100만 원 더 받으면서 직장을 유지한다고 종종 이야기했다. 힘들게 일하고 받는 월 급여가, 퇴직하고 받을 연금액과 크게 차이가 나지 않는다는 말을 한 것 같다. 아차, 그때 그이는 일에 지쳐서 물러나고 싶었나? 내가 퇴직하고 싶은 남편의 그 마음을 몰라 주었던 것일까…?

아무튼 그때 남편의 생각은 틀렸었다. 100만 원 차이가 아니었다. 정근수당 두 번, 명절 휴가비 두 번, 성과금 등, 각종 수당이 없어지는 것을 몰랐던 단순 계산이다. 단순 계산으로는 퇴직 후에 급여가 그만큼 많이 줄어들 리가 없다.

맞벌이하지 않은 선생님들은 퇴직 후에도 일자리를 적극적으로 찾는다. 물론 돈이 문제라기보다 무엇인가 할 일이 있고 삶에 의미가 있어야 하니 일을 찾는 것도 이유겠다. 다음 이야기는 퇴직 이후 모습의 단편이다.

준비를 안 하고 덜컥 나오면. 삼백오십이라는 걸 받는다고 쳐. 예를 들어 제로인 상태에서 삼백오십이 들어오면 그걸 가지고 쓸 수 있어. 근데 마이너스 100이야. 그러면 350에서 250 남지. 그 250에서 또 들어가는 돈이 있어. 그러면 빼고 나면 150밖에 안 돼. 이걸 가지고 살아야 해. 나처럼 혼자 벌었던 사람은 나오면 당장 수입이 줄어드니까 뭔가를 하려고 그러는 거지. 봉사 개념이 아니야. 어떨 때는 경조사비 내는 것도 상당히 부담되더라고요. 그런 데서 좀 위축되고 또 모임 때 같은 데도 밥한 끼 딱 냈으면 좋겠는데 그러질 못하니까.

아무도 얘기를 안 해줬어요. 월급이 반 토막이나 3분의 1토막 얘기도 안 해줬고. 잘 살 거라 막연하게 생각했지, 막상 퇴임하고 보니 '어? 월급 17일인데 연금은 25일이네?'. 그 8일이 엄청 긴 거예요. 우리는 항상 17일에 받았잖아요. 25일로 적응한 게 1년이 가는 것 같았어요. 들어오는 건 없구요. 적응이 안 되면서 그 1년 동안 너~무 힘들었어요. 뭐 내고 뭐 내고. 쓸 게 없는 거예요.

생활고 때문에 경비했고. 그때 별의별 거 다 겪어봤고. 눈물 흘렸지. 새벽 3시에 비 맞으면서 청소하고. 아이~,

고생 많이 했지. 시청 실태조사반에서 한 11개월 일했고,
시청 경비를 했고. 애들 가르치는 거. 지금 중학교 영어지
도.

위의 사례들을 보면서 퇴직예정자를 위한 퇴직 준비와 재
무 교육은 오랜 기간 실질적인 교육이 이루어져야 한다는 생
각을 다시 하게 된다. 소극적으로는 퇴직 후에 받게 되는 연
금에 손실이 가지 않도록 하는 준비가 필요하다. 퇴직 전에
부채를 확인하고, 할 수만 있다면 정리해야 한다.

7. 퇴직 이후에 할 일을 찾았는가?

여태까지 사십 년 가까이 일하고 이제 좀 쉬려는데 퇴직해서 할 일을 찾으라고? 또? 왜? 어떻게? 젊은 사람들도 할 일이 없다는데 그 자리를 또 빼앗으라고?

그러나 퇴직 후에 할 일은 수입이 따르는 일만이 아니다. 지속 가능한 소일거리도, 또 배울 거리도 퇴직 후에 할 수 있는 일이다. 일은 단순한 생계 수단이 아니다. 우리가 평생 교사라는 정체성을 가지고 살아온 것처럼, 일은 개인 정체성의 핵심 요소다. 또 자부심과 성취감을 얻는 수단이고 다른 사람들과 관계를 맺고 유대감을 가지게 하는 역할을 한다.

얼마 전에 정부에서는 의사 수의 확대 필요성을 인식하고 의대생 모집인원 확대 결정안을 내놓았다. 현직 의사와 의대생들이 이에 반대하여 휴학하거나 의료 현장을 떠나고 있다. 대형 병원의 전공의들이 집단사직을 하여 전국 병원에 의료 공백이 생긴다고 한다. 이에 정부는 20여 개 병원에 군의관과 공보의를 파견한다는 기사가 있다. 참으로 난감하다.

뉴스를 접하는 주위의 사람들은 아프더라도 이럴 때 아프지 않기를 바라는 심정으로 건강을 생각하며 매일 조심스럽다. 이 사태로 건강상 피해 보는 사람이 없으면 좋겠다. 그리고 바람직하게 빨리 해결되기를 바란다.

이 와중에, 지난 3월 10일 자 연합뉴스 사회면에 한 기사가 올라왔다. '30대 대기업 과장, 40대 공무원, 50대 금융맨까지 의대 열풍'이라는 제목의 기사다. 대치동 학원마다 하루 수십 통씩 직장인들 문의가 있어 직장인 전문 야간특별반까지 생겼다고 한다. 이제라도 공부하여 의사가 되어보려는 움직임일 것이다. 의사는 개업하면 정해진 퇴직 연령도 없으니 그럴 수 있겠다. 보도에서는 기대수명이 늘어나 노후 불안감이 큰 탓이라고 덧붙였다.

얼마 전에 나는 대기업에 다니는 아들에게 퇴직하고 나서 무엇을 할지 물었었다. 잠시라도 퇴직 후의 생활을 예측하는

데 생각이 머물기를 바랐다. 대기업은 공무원보다 근무기한이 짧다. 군인도 그러하다. 50대에 정년을 맞이하게 된다.

의학이 발달하고 사람들의 수명이 늘었다. 치명적인 질병이나 사고가 없다면 퇴직 이후 사십 년을 더 산다. 여태까지 해온 직장생활 전체 기간보다 퇴직 이후에 맞이하게 될 시간이 더 길다. 퇴직 후, 더 긴 시간을 어떻게 보낼 것인지 생각해야 할 때이다. 무엇이 남은 인생에서 최선인가를 생각할 나이다.

중등 김 교사는 퇴직하고 보니 할 수 있는 일이 없더라고 했다. 교직 생활을 하면서 알았던 지식만 가지고는 퇴직 이후에 할 수 있는 게 없었다고 했다. 기술을 배우더라도 신념을 가지고, 준비를 정확하게 하고, 뜬구름 잡기보다 실질적인 것을 하라고 당부한다.

요즈음에는 직업의 세계가 빠르게 변하고 있다. 우리가 취업할 당시에는 취업이 직장을 구하는 개념이었다. 요즈음에는 한 직장에 오래 몸담고 일하지 않는다. 자신이 가진 능력으로 직장을 옮겨 다닌다. 직장 개념이 아니라 직업 개념이다. 하나의 직업을 가지고 살아가던 시대는 끝났다.

베이비붐 세대의 퇴직자 수가 늘어나고 인간의 수명이 길어진 지금은 여러 가지 직업을 골고루 경험하는 게 필요할 수 있다. 평생직장은 앞으로 더는 없을지 모른다. 어쩌면 이

것이 퇴직자에게 유리할 수 있다.

각 시나 군 단위로 노인 일자리 사업을 하고 있다. 퇴직 이전에 하던 일에 비해 급여도 훨씬 적고 대우도 받기 어렵지만, 무엇인가 할 수 있는 일이 있다는 사실이 반갑다. 퇴직하면 직장 건강보험이 지역 건강보험으로 바뀌게 되어 소유 재산이나 연금 액수에 따라 지역 건강보험료가 산정되는데, 체감되는 금액이 적지 않다. 노인 일자리 사업에서 한 주에 15시간 이상 일을 하면 건강보험을 들어주는 경우가 있다. 그럴 경우, '지역 건강보험료' 부담을 덜게 되는데, 이 금액이 크게 느껴진다.

시시때때로 교육지원청이나 시청, 구청 등의 홈페이지에 들어가서 구직코너를 살펴볼 필요가 있다. 각 지방자치단체에 따라 이름은 다르지만 시니어 클럽 등, 구직자를 모집할 때가 있다. 매년 연말에 모집하고 다음 해 1월에 일을 시작하여 11월쯤 끝난다. 활동에 참여하여 일할 때, 학교 조직의 시스템과 비교하여 완벽하기를 요구하면 안 된다. 미흡하더라도 우리, 노인은 그저 맡은 일에 충실하면 된다.

칼 필레머(Karl Pillemer)는 기회가 묻거든 '네!' 하고 대답하라고 한다. 어떤 일은 대가가 적어서, 또 어떤 일은 자존심이 상해서, 또는 용기가 없어서 하기를 마다하면 무언가 배울 기회와 다른 방식으로 보상받을 기회를 놓치게 된다. 요즈음은 70세까지 기간제 교사도 가능하다니 몸이 건강하다면 도전해 볼 만도 하다.

성인기 동안 가졌던 직업과 다른 일을 하는 경우, 가교 취업(bridge employment)이라고 말하며 이것을 '모호한 은퇴(blurred retirement)' 라고 표현한다. 모호한 은퇴를 하고, 가교 취업을 하는 게 무료한 일상을 달래고 보람을 찾는 일일 수 있다.

일전에 교장으로 퇴직한 여선생님과 함께 9급 공채 공무원 시험 관리 보조업무를 했다. 다섯 시간여를 참여하고 최저임금 수준의 금액을 현금으로 받았다. 재직 시 받던 금액보다는 터무니없이 적었다. 새벽부터 나와서 주로 서 있느라 힘든 일이었는데도 '내가 번 돈' 이라는 의미가 있었다.

자원봉사 활동은 사회에 기여하고 돕기 위한 자발적인 활동이다. 관련 연구에서, 자원봉사자들은 활동에 대한 최소한의 실비 지원을 원하는 것으로 나타났다.

나는 지난 2년간 지역 노인 상담센터에서 봉사활동을 했다. 봉사활동 세 시간을 하고 나면 통장에 교통비 삼천 원이 입금되었다. 생각하지 않았는데 기분이 좋았다.

퇴직 이후에 연금 이외에 직접 벌어서 생긴 돈에는 새로운 의미를 두게 된다. 이 느낌은 나만 그런 것이 아닌 것 같다. 가능하면 오래 일하고 오래 벌어보자.

바야흐로 평생교육 시대다. 하고 싶은 일을 하기 위해 배움이 필요할 수 있다. 재미있게 여생을 보내기 위해서 악기나 마술을 배울 수도 있다. 목공이나 집짓기를 해볼 수도 있고 농사일을 배워 주말농장을 즐길 수도 있다. 공무원연금공단에는 퇴직자를 위한 온라인 평생학습 프리패스 과정이 무료로 개설되어있다.

배움도 퇴직 후에 할 일이라 말할 수 있다. 퇴직하고 나서 도서관과 평생교육원, 노인복지관 등으로 출근하는 분이 많이 있다. 그분들은 배움의 좋은 점으로, 돈이 들지 않고, 새로운 지식을 얻고, 사람을 사귈 수 있고, 시간이 잘 가고, 자신이 품위 있는 사람이 되는 것 같다고 지난 3월 공무원연금 지에 소개되었다.

그러나 사람은 각자 다르다. 개인차가 있다. 가만히 있는 것을 견디기 힘들어하여 무슨 일이든 하려는 사람이 있다. 일함으로써 자신의 가치를 더 크게 느끼고 보람으로 여기는 성향이다. 반면에 아무 일도 하지 않으면서도 생활의 여유를 즐길 수 있는 사람이 있다. 자신의 상황과 성향에 맞추면 된다. 공부나 일을 꼭 해야 하는 것은 아니다. 행동의 주체는 자신이다. 일은 하든 하지 않든 그 행위에 나름대로 의미가 있을 것이다. 만족한 삶은 개인이 하고 싶은 것을 하며 사는 삶이다. 단, '여우의 신 포도'가 되면 안 된다. 결정이나 행위에 의미가 있어야 한다.

벌기보다 중요한 게 있다. 내 돈 지키기이다. 선생님들은 특히 사람들을 돕고 싶어 하는 순수하고 진실한 마음이 있다. 어떤 사람은 선생님이 퇴직하면 돈이 많이 있을 것으로 생각한다.

노인은 긍정적인 것에 집중하고, 선택하는 경향이 있다. 그래서 노년에 행복해질 수 있는 것이다. 노인의 정서 특성인 긍정적 경향성은 금융사기나 스미싱에 속지 않도록 더 주의를 기울여야 하는 이유가 된다. 이 정서적 특성은 남의 말을 쉽게 믿게 하고, 결과가 좋아질 것으로 생각하게 한다.

다음은 전해 들은 이야기다. 얼마 전에 퇴직한 선생님이 먼저 퇴직하신 관리자 한 분을 만났다고 한다. 재직할 당시에 존경했던 분이다. 오랜만이라 무척 반가웠다. 관리자님은 근황을 이야기하며 어느 한 사업에 투자하고 계신다고 했다. 사업에 투자했는데 재미있고 수익이 은행 이자보다 훨씬 낫다고 하였다. 재직 당시 존경하던 관리자님의 말에 그 선생님도 참여했다. 그러고는 이후에 만난 다른 선생님에게 권했다. 이렇게 좋은데 혼자만 알고 있기가 미안한 감이 든다고 했다. 그 이야기를 전해 들은 다른 선생님은 이자율이 터무니없이 높다고 느꼈다. 그리고 '아니라고, 당신도 하지 말라'고 말렸지만, 이야기한 사람은 말리는 사람의 말을 전혀 듣지 않았다고 한다.

퇴직한 노인들을 목표로 삼고, 자기 직원에게 나이 든 소비자의 신뢰를 얻을 수 있도록 훈련 시키는 회사가 있다고 한다. 퇴직한 노인에게는 그동안 모아놓은 자산이 있다고 생각될 수 있기 때문이다. 교사는 더 할 것이다. 때 묻지 않은 심성이 적격이라고 여길 수 있다. 이들은 사기에 성공하기 위해 검증된 심리학적 기술을 사용한다. 또는 개인적으로 뛰어난 감각을 가지고 노인의 심리를 이용하는 사람도 있을 수 있다. 가까이 알고 지내던 사람도 있을 수 있으니 조심해야 한다.

퇴직 후 외로움이 누군가로부터 유혹을 당하는 일이 되지 않아야 한다. 누구든지 선생님을 이용하려는 사람들로부터 자신을 지키는 것은 퇴직 후 일자리를 찾아 돈을 버는 것보다 훨씬 중요하다.

퇴직 후 인생 2막을 잘 살기 위한 노력은 바로 아무런 사업도 벌이지 않는 것, 즉 위험부담이 있는 창업을 하지 않는 것이다. 가능하다면 창업보다 재취업이 훨씬 안전하다. 스팸 문자를 열지 않거나, 통신판매나 모르는 전화를 받지 않는 등의 원칙을 몇 가지 정해두어도 사기를 막을 수 있지 않을까 싶다.

자. 이제 퇴직 준비를 해야겠다. 퇴직하고 나면 시간이 너

무 많으니 어쩌랴? 마음도 불편하고 돈도 부족하다니 걱정되는가?

그래도 염려할 필요가 없다. 연구에 의하면 퇴직 이후 시간이 지날수록 생활에 적응되는 것으로 나타났다. 무료했던 시간은 점차 하루 생활의 루틴을 찾아 자리 잡는다. 상실감도 차차 회복된다. 풍성하지 않은 살림살이도 마음을 내려놓으니 적응된다고 한다. 충분하지 않은 연금이지만 무척이나 감사하고 또 감사하다니 얼마나 다행인가! 시간이 약이다.

Part C. 살아갈 이야기

1. 보상심리로 소비하지 말아라

나는 재직 중에 전문직 시험에 도전하여 두 번을 떨어졌다. 처음에는 출제 경향이 어떤지 보기 위해 그야말로 시험 삼아 보았다. 하지만 두 번째 시험에는 꼭 붙고 싶었고, 붙을 줄 알았다. 결과는, 경쟁자의 입장으로 보자면, 정말 보기 좋게 떨어졌다.

전심으로 열심히 공부했었기에, 또 붙을 거로 생각했기에 열등감이 심하게 느껴졌다. 상실감도 컸다. 아이들이 귀가하고 텅 빈 교실에서, 잠깐 잊었던 패배감이 불쑥불쑥 여러 번 올라왔다. 그 열등감은 바닥을 모르고 나를 나락으로 떨어뜨렸다.

그때 빈 교실에 혼자 앉아 든 생각이, 나에게 많은 돈이라도 있다면 이 열등한 기분에서 벗어날 수 있을 것 같았다. '괜찮아, 대신 나 돈 있으니까'. 이렇게.

열심히 했는데 시험에 떨어진 것을 만회하려는 보상심리다.

내가 아는 어떤 분은 재직 중에 아내의 질병으로 큰돈을 썼다. 아내가 병에서 회복되어서 기쁘고 다행이지만 대가도 컸다. 병을 치료하느라고 집 한 채를 없앴다. 치료비를 내기 위해 집을 팔았는데 집을 팔고 나니 그 집값이 천정부지로 뛰었다.

아내가 건강을 찾았으니 감사했지만, 재산이 없으니 자녀라도 번듯하게 키우고 싶은 생각이 들었다. 그래서 자녀의 유학을 결정하고 무리한 지출을 했는데, 그 영향이 퇴직 이후까지 미쳤다.

보상은 정신분석학에서 이야기하는 방어기제의 한 종류이다. 자신이 가지고 있는 결점을 보완하기 위해 다른 장점을 강조하거나 발전시켜 자존감을 유지하려는 것을 말한다. 보상은 개인에게 중요한 것이다. 그리고 노력에 대한 대가이기도 하다. 보상심리에서 무엇인가를 메꾸기 위해 하는 행동은 열등감이나 질투 같은 감정에서 비롯된다.

인간은 늘 합리적으로 행동하지 않는다. 보상심리가 아니더라도 자식에 대한 투자는 한계가 있어야 한다. 자녀에게 투자

대비 성과를 논하는 게 맞지 않을 수 있다. 하지만 어렵게 많은 돈을 들여 유학까지 보냈는데, 자녀가 외국에 정착하여 사느라 노후에 자녀를 마음대로 볼 수 없다면 슬플 것 같다.

나이 들어 자녀에게 바라는 것이 무엇인가? '너희들끼리 잘 살면 돼.', '부모 걱정은 하지 말아라.' 하면서도 가까이 있고 잘 사는 모습을 보여 주면 좋겠다는 바람이 있지는 않은가?

보상심리가 작용하여 결정한 사안은, 그것이 대책이든 차선책이든 무슨 이유로든지 위험하다. 철저하게 계획하지 않고 하는 행동은 그것이 경제적인 것과 맞닿아 있을 때, 퇴직 이후의 삶이 힘들어질 수 있다.

보상심리로 행동하지 않기 위해서 장기적인 목표를 정하고, 하고자 하는 행동이 목표에 맞는지 점검해 보는 것도 중요하다. 보상심리를 유발하는 열등감을 인정하는 것도 도움이 된다.

인간은 누구나 열등감을 느끼는 존재이고 열등감은 긍정적으로 받아들이면 발전의 동력이다. 어떻게 받아들이고 어떻게 생각하느냐에 따라 결과는 차이가 있다.

2. 퇴직 전후의 시간과 기회를 점검하라

시간은 금이다.

금은 부의 상징이다. 재물을 뜻하는 말이다. 퇴직하면 많은 시간을 얻게 된다. 재물만큼 귀한 시간이다.

퇴직 직전과 직후에 시간은 결정적으로 중요하게 작용할 수 있다. 학교에서 건강과 관련하여 단체로 가입해주는 보험이 있는가? 아니면 개인적으로 만기가 다가오는 생명보험이 있는가? 건강검진을 앞당기고 보험금을 받을 수 있는 기간을 점검해 볼 필요가 있다.

퇴직 후 얼마 지나지 않아 질병을 발견하게 된다면 이미

들어놓은 보험의 혜택을 볼 수 없기 때문이다. 혹시 있을지 모를 질병의 조기 발견과 조기 치료의 기회를 놓치게 되는 것도 아쉽다. 건강하게 퇴직하기 위해서도 그렇고 이미 지출한 보험료의 효과를 보기 위해서도 그렇다.

활기찬 은퇴 생활을 위해서 퇴직 전에 미리 시간을 계획하고 건강을 다진다면 그것 또한 은퇴 이후의 생활에 도움이 될 것이다. 대다수 교원은 은퇴 준비를 할 여유의 기간이 없이 직전일까지 근무한다. 관리자라면 퇴직 전날까지도 결재도장을 찍어야 할 수 있다.

퇴직 이후의 생활을 위해 공부를 하거나 배울 것이 있다면 언제 시작하는 것이 좋을지 헤아려 보는 게 좋겠다.

일반 공무원에게는 퇴직 전에 공로연수라는 게 있다. 공로연수 대상은 20년 이상 근속한 퇴직 예정 경력직 국가공무원이다. 이들에게 재취업, 사회적응, 노후설계 등의 준비기간을 주기 위해 1993년 도입된 제도다. 공로연수자는 퇴직 6개월~1년 전부터 출근하지 않고 기본 인건비를 받는다. 공로연수는 인사권자가 해당 공무원에 대한 교육 훈련의 필요성 여부를 판단하여 명하는 파견근무 중 하나라고 하며 기간은 기관마다 다르다.

퇴직 후를 준비하기 위하여 새로운 공부를 하거나 기술을 배우려면 3년에서 5년 정도 필요할 수 있다. 물론 퇴직 전에는 학교 일이 만만치 않아 한눈을 팔 수가 없다. 다음의 예들이 사실을 잘 알려주고 있다. 그래도 한눈을 팔 방법을 고려해야 한다.

진짜 준비를 못 하고 나온 것 같아요. 정신없이 하루를 살고 한눈을 팔지 못했잖아요. 실감을 못 한 것 같아요. 전혀 생각할 수가 없었어요. 나와서 부딪히니까 생각한 거지, 그 이전에는 나오는 날까지 오로지 직장에 대한 것밖에 없었어요. 다 똑같았을 거예요. 나오는 날, 마지막 도장 찍는 날까지.....

퇴직하는 2월 28일까지 출근해서 근무했으니까. 그냥 끝까지 내 할 일, '내 책임과 의무를 다한다'라는, 그것만 '제대로 하겠다'라는 생각만 있었지. 퇴직 후에 어쩌자 그런 건 없었고 단지 학교에서 퇴직자 예비 교육, 연수. 그런 거는 몇 번 받았지...... 나는 생각을 전혀 못 했던 거지.

퇴직일은 한발 한발 다가오고 있다. 나는 퇴직을 1년 남겨놓은 상태에서 대학원에 진학하려고 이곳저곳을 알아보며 입학원서를 냈다. 하지만 일 년 동안 학기별로 두 곳의 학교에 세 번이나 떨어졌다. 그때 '좀 더 일찍 도전할걸' 하고 후회했었다. 미리 준비했으면 1년이라도 먼저 졸업할 수 있지 않았을까?

퇴직을 앞둔 선생님에게 하고 싶은 말이다. 퇴직 후에 하고 싶은 일이 있고, 퇴직 전에 시작할 수 있는 일이라면 무엇이든 미리 해야 한다.

앞서 살펴본 바로, 퇴직 직전일까지 결재도장을 찍고 마지막 날까지 투혼을 발휘하는 교원의 형편에 비하면 6개월의 공로연수는 얼마나 부러운가!

공로연수 제도에는 인사 적체 해소라는 의견과 일하지 않는 인건비 지출이 혈세 낭비라는 의견이 상충하고 있다. 공무원도 모두 공로 연수제를 반기지는 않는다고 한다.

안내가 없어 모르고 있는 것인가? 교육공무원은 왜 공로연수가 없는지 궁금하다.

3. 퇴직 이전에 미리 지출을 조정하라

퇴직하고 나면 수입이 줄어든다. 재직 때 받던 성과급, 그리고 출장비, 초과근무 수당 같이 때때로 적지 않게 받던 수당들이 퇴직하고서는 한 가지도 받지 못한다. 담임수당도 부장 수당도 업무추진비도 없다. 명절에는 연금을 쪼개어 두었다가 부모님께 효도해야 한다. 명절이라고 연금에 수당이 붙어 나오지 않기 때문이다.

문제는 그것만이 아니다. 급여액보다 연금액이 줄어들고 그 안에서 수당으로 채웠던 지출까지 감당해야 하니 지출을 줄이는 연습을 미리 해야 한다. 지출 구조 조정이다.

'돈은 쓰기 나름으로 가진 범위 내에서 쓰면 된다'고 섭게 말하기는 힘들다. 고정 지출이 있고 가족이 함께 쓰는 경우가 더 많다.

통계청 보도자료에 의하면 2023년 4/4분기 가계 소비지출 평균이 280여만 원이며 전년 대비 5.1% 증가했다고 한다. 소비지출 비목별 비중은 음식·숙박, 식료품·비주류 음료, 교통비, 주거·수도·광열비 순이라고 한다. 우리 집의 소비가 평균과 같지 않겠지만 참고할 필요는 있을 것 같다.

나 혼자 지출을 줄일 수는 없다. 혹여 줄였다 하더라도 금액이 미미할 것이다. 가족 구성원이 모여 협의해야 한다. 퇴직 후의 재무 상황에 대해 가족과 공유하고 협조를 구해야 지출을 줄일 수 있다. 배우자, 자녀 모두 한마음이 되어야 한다. 잔인한 것 같지만 시댁과 친정의 어르신들도 상황을 아시기는 해야 할 것이다.

은퇴 후에는 연금이나 재산 등에서 발생하는 소득의 격차가 크다. 소득이 월등히 많은 은퇴자를 '은퇴 귀족'이라고 한다는 말이 있다. 은퇴 후 최저 소득자의 생활비와 소위 은퇴 귀족의 생활비가 3배 정도 차이가 난다고 한다. 향후 자신의 삶이 어렵지 않을지 생각해 볼 일이다.

십 년 단위 연령대별로 가계 지출이 줄어든다는 연구가 있다. 60대, 70대별로 줄어 80대에 가면 백여만 원으로 줄어든다니 그나마 다행이다. 그 기간 사이에 부채가 있고 없음이나 질병 발생 여부 등에 따라 여러 변수가 있을 것이다.

또한 교원의 급여일은 매월 17일이지만 연금 수급일은 매월 25일이다. 공무원연금공단에는 교원 외에 급여일이 각각 다른 지방직과 일반직 공무원, 그리고 소방직과 군무원 등이 있다. 사립학교나 지역별로 차이가 있는지는 더 알아볼 필요가 있겠다. 공무원연금공단에서는 국민연금 지급일과 같이 25일에 공무원연금을 지급한다고 한다. 사학연금도 매월 25일이 지급이다. 물론 공휴일이 끼어있을 때는 전 일에 지급된다. 급여일 직후에 고정 지출이 예정되어있다면 퇴직 후에는 매월 25일 이후로 지출 일자를 옮기는 것을 고려할 필요가 있다. 매월 20일경에 나가던 고정 지출이 있다면, 퇴직 후에 생각지 못한 연체료가 발생할 수도 있다.

우리 세대는 자라면서 '헝그리 정신'이라는 말을 들었다. 지금은 그런 용어를 듣지 못한 지 오래되었다. 보릿고개 시절을 버텨낸 근성이다. 우리 선배들이 악바리같이 버텨낸 강인한 정신력을 조심스레 떠올려본다.

거기까지는 아니라도 지출에 선 긋기가 필요하다는 생각은 든다. 어느 정도의 경제적 책임감은 자녀에게 지워줄 필요가 있지 않을까!

결혼할 때 얼마까지는 해줄 테니 나머지는 스스로 마련하라든가, 학자금은 졸업 후 벌어서 스스로 해결하라고 해보자.

4. 퇴직 이후의 수입과 부채를 점검하라

퇴직을 하게 되면 퇴직 연금과 퇴직 일시금 중 선택하여 수령 하게 되고, 이와 별도로 퇴직 수당이 있다. 나는 퇴직 수당이 있다는 것을 몰랐다. 수당을 몰랐으니 다행이지 부채를 몰랐다면 어땠을까? 퇴직을 앞두고는 수당이든 부채든 점검할 필요가 있다. 과도한 지출은 고통의 시작이라 하니 윤택한 퇴직 생활을 위해 미리 점검하자.

퇴직 수당 외에 교직원공제회에서 구좌 당 600원 하던 장기 저축 급여가 있다. 그동안 열심히 모은 교직원공제회의 '장기저축급여금'은 한꺼번에 받지 않고 일정 기간을 정하여 '장기저축급여 분할급여금'으로 원리금을 함께 받게 되면 웬만한 연금 역할을 톡톡히 해낸다. 연금이 여유 있어서 필요가 없더라도 다시 저축하면 된다. 교원공제회 홈페이지에서 확인한 바로 2024년 1월 현재 이자율이 4.60%로 다른 금융권에 비해 월등히 높다.

퇴직 이후 연금을 받는 상태에서 사업이나 취업을 하여 수입이 있게 되는 경우가 있다. 공무원연금법 제50조에 따르면 사업소득이나 근로소득 금액에 따라 해당 연금의 전부, 또는 일부를 지급하지 않게 되어있다. 2024년도 기준으로 연금 일부 정지 기준 금액은 전년도 평균 월액인 264만 원이다. 최대 정지 금액은 본인 연금 월액의 50%까지라고 한다. 근로소득이나 사업소득이 200만 원을 훌쩍 넘는다면 공무원연금법 제50조와 공무원연금법시행령 제46조, 제47조를 참고 하기 바란다. 공무원연금공단 홈페이지를 참고해도 자세히 나와 있다. 홈페이지→ 사업안내→ 연금사업→ 연금수급에서 살펴볼 수 있다.

한편, 부채가 있다면 기존 대여를 상환하지 않고 전환하는 대여제도로 '분할급여대여'가 있다. 중도상환수수료가 없이 퇴직 후 생활의 여유를 위하여 전환신청을 할 수 있다니 해당이 된다면 알아볼 필요가 있다. 하지만 가능하다면 퇴직 전에 부채를 정리해야 한다. 빚이 있는 채로 퇴직을 하면 의도치 않게 긴축 생활을 해야 한다. 퇴직일까지 몇 해의 기간이 남아있다면 기간을 정하여 부채 정리계획을 세워보자. 현명하게 돈을 빌렸다면 똑 부러지게 돈 갚기를 해야 할 때다.

퇴직 이후에 가족 중 한 명이라도 아프게 되면 지출 계획을 잘 세워놓았더라도 경제적으로 힘든 상황이 생길 수 있다. 요즈음 주위에서 표적 치료라는 말을 들었다. 암이 발생하였을 때 정상 세포에 영향을 주지 않고 암세포만 표적으로 공격하여 치료 효과를 보게 되는 좋은 치료법이라고 한다. 그런데 문제는 치료비이다. 다른 질병에 걸리더라도 좋은 신약을 쓰기에는 치료비가 너무 비싸다. 신약들은 아직 건강보험 혜택을 받지 못하기 때문이다.

치료비가 없어서 생을 포기하기에 우리 아직은 너무 젊다. 나이가 들면 들수록 아픈 일이 많아진다. 치료비와 간병비를 포함한 지출 계획을 꼼꼼하게 세우고 알뜰하게 살아서 삶의 마지막까지 비참해지지 않아야 한다.

이 경우가 아니라도 자녀와 노부모가 계신다면 예상치 않은 지출이 발생할 수 있다. 노인 문제 전문가 한 분은 '자녀 리스크' 라는 이야기를 한다. 자녀가 취업하지 않은 상태도 문제지만 사업자금을 요구해도 문제다.

5. 연금 통장을 직접 관리하라

한꺼번에 목돈을 받을까? 연금으로 나누어 매달 받을까? 통장은 배우자에게 맡길까? 내가 관리할까? 연금 수령 방법과 통장 관리 이야기다.

내가 존경하는 교장 선생님 한 분은 오래전에 퇴직할 때 여러 가지 상황을 고려한 끝에 연금보다 일시금 수령을 선택하셨다. 살던 단독주택을 개조했으니 갚아야 할 빚도 있고 약간의 이자도 나가고 있었다. 당시에는 아주 현명한 선택이었을 것이다.

지금도 이따금 만나는 그 교장 선생님은 지금 나이 90을 바라보고 계시다. 그런데 한번은 '내가 이렇게 오래 살 줄 알았으면 연금으로 받을 걸 그랬어' 라고 말씀하셨다.

누군가는 '퇴직하고 10년 동안 지속해서 연금을 받기가 쉬운 게 아니야' 라고 이야기하기도 한다. 건강관리를 잘하고 운도 좋아야 70살을 훌쩍 넘기고 산다는 이야기일 것이다. 그렇게 생각하니 평생 애써 부담한 연금을 제대로 못 받게 된다면 억울할 것이다.

하지만 예전과 달리 수명이 늘었다. 국가통계포털의 완전생명표에 의하면 교원의 퇴직 나이인 62세를 기준으로 전체 기대 여명이 23.4년(남자 21.1년, 여자 25.5년)으로 나타나 있다.

각자마다 자신이 처한 상황에서 현명한 선택을 하리라 생각한다. 현재 받을 수 있는 목돈인 일시금 액수와 10년 혹은 20여 년간의 연금 액수, 그리고 각자의 부채나 일시금 관리 가능성 등을 따져보아야 할 것이다.

예전에는 아내에게 월급봉투를 주고 남편이 용돈을 타서 쓰는 경우가 많았다. 혹여 아니더라도 어느 때부터인가 급여가 계좌로 이체하여 들어올 때부터는 확실히 그랬다. 누군가는 어머니와 아내, 두 여인 덕분에 돈을 모르고도 잘 살아왔다고 했다. 이는 어느 정도 여유가 있고 여인들이 살뜰히 살림할 경우이다.

거의 외벌이로 교직 생활을 하고 정년퇴직한 지인은 연금을 선택하였고 아내에게 용돈을 받아서 쓴다. 퇴직 이전에 급여통장이 아내에게 있었던 것처럼 연금 통장을 아내가 관리하고 있어서다.

그가 이런 말을 한 적이 있다. 어떤 때 외출하기 위해 아내에게 부가적으로 용돈을 요구했다. 꼭 필요한 돈인데 아내가 달라는 이야기를 들었는지 못 들었는지, 줄 생각이 없는 것 같아 애가 탔다. 외출 준비를 다 하고 신발을 신는데 그때서야 마지못해서 주는 듯한 용돈을 받아들고 엄청이나 자존감이 상했다고 했다.

연금 수령 계좌의 변경이 필요하다고 생각되는 경우엔 매월 20일 이전에 공무원연금공단으로 계좌 변경 신청을 할 수 있다. 전화로도 가능하다고 한다. 퇴직 이전이라면 미리 연금 수령 계좌를 급여 계좌와 달리 하는 것도 방법이다. 단, 가족의 화목을 고려하라.

공무원연금은 수급자에게 채무 관련 문제가 있을 경우라도 최저 생활비를 보장받기 위해서 일정부분 보호가 가능하다. 연금 압류 방지 통장이다. 연금 수급자에게 최저 생활을 유지할 수 있도록 해주는 방안이다. 개설이 가능한 은행을 알아보고 새로운 통장을 개설하여 신청하면 된다. '공무원연금 평생안심통장'이며 185만 원 한도로 입금된다고 한다. 나머지

연금은 일반 통장으로 받게 된다. 연금과 관련된 사항을 알아보려면 역시 연금공단 홈페이지에서 '사업안내 → 연금사업 → 연금 수급'에서 알아볼 수 있다.

반면, 노후에는 돈의 관리와 함께, 가난을 다스리는 마음의 관리가 중요하다. 경제 전문가들이 말하기에는, 퇴직 이후, 월 몇백만 원이 필요하다든가 평생 몇억이 필요하다고 말한다. 하지만 돈이 부족해도 위축되지 않는 마음이 더 중요하다. 경제력 외에도 살아온 내공에 정신적 자원을 함께 하여 더욱 성숙한 노후가 되기를 기대한다.

평생의 땀과 열정이 고스란히 담긴 연금이다. 잘 관리하고 잘 활용하자.

6. '달걀을 한 바구니에 담지 말라'의 시간적 의미

금융시장에는 '달걀을 한 바구니에 담지 말라'는 이야기가 있는데 누구나 몇 번씩은 들어본 이야기일 것이다. 제임스 토빈은 Keynes(케인스)의 이론을 따르는 미국의 경제학자다. 그는 1981년 '포트폴리오 이론에 기여한 공로'로 노벨 경제학상을 수상했다. 이 자리에서 기자들이 포트폴리오 이론을 쉬운 언어로 설명해 달라고 부탁했다. 그는 '계란을 한 바구니에 담지 말라'는 말로 그의 포트폴리오 이론을 설명했다. 그 이론은 합리적 투자를 한마디 말로 표현한 명언이었다.

2021년 8월 31자 중앙일보의 사회면에서 '분산투자와 포트폴리오'에 대한 이야기가 있었다. 투자자금을 성격이 다른 여러 주식 혹은 여러 자산에 투자해 두면 예상치 못한 위험이 닥쳤을 때도 손실을 볼 수 있는 확률이 떨어지게 된다. 그것을 바로 자산 배분, 즉 포트폴리오 투자라고 하였다.

나는 '달걀을 한 바구니에 담지 말라'는 말에 대해서 한 종목의 주식만 집중해서 사면 안 된다는 뜻으로 이해했다. 또 재산을 한 가지 방법으로 관리하지 말고 주식과 예금, 채권, 수익성 부동산 등에 분산하여 관리하라는 뜻으로 이해해 왔다. 그러나 퇴직하고 난 후에는 그 의미가 시간, 다시 말해 여생을 함께 고려한 재산관리가 되어야 한다는 데에 마음이 더 간다.

대한금융신문의 김승호 편집위원은 국내에 출판된 두 편의 책, '시공사'와 '열린책들'의 표현을 인용하여 다음과 같이 말했다. 달걀을 한 바구니에 담지 말라는 의미를 시간에 빗대어 이야기한 것이다. '내일을 위해 오늘 발길을 멈출 줄 알고, 하루에 모든 모험을 다 치러내겠다고 덤벼들지 않는 것'이다. 또 '내일을 위해 오늘을 삼갈 줄 알고 하루에 모든 모험하지 않는 것'이라고 나타나 있다.

나는 이에 따라 주식투자 할 때 시간을 고려해보았다. 주식을 오늘 딱 한 주만 산 후, 내일 한 주를 더 사는 것도 의미가 있을 것이다. 혹은 오늘 한 주를 사고 일주일 후에 한 주를 더 사는 방법도 있겠다. 매수 시간을 달리하는 것이다. 그리하면 계속 주가가 하락할 때 추격매수 하여 생기는 부작용을 조금은 덜 수 있을 것이다. 주가가 오를 때는 싸게 팔아서 억울한 일이 줄어들 것이다. 물론 마음대로 안 될 때도 있어 투자는 어렵다.

퇴직 이후에 살아갈 날을 시간으로 하고 달걀을 어떻게 배분해야 할지를 멀리 보고 생각하는 지혜가 필요하다. 당연히 공격적인 투자는 하면 안 된다. 실수할 경우, 실수를 만회할 시간이 없기 때문이다.

퇴직하고 하는 일이 없이 세월을 보내기에는 40년 여생이 길지만, 투자 후에 혹시 있을 실패를 만회하고 다시 자리를 잡기까지 그 기간은 너무 짧다.

7. 적어도 한 가지의 '인생 운동'을 하자

몇 년 전, 심리학 수업 시간에 교수님으로부터 "인생 영화가 무엇인가요?" 라는 질문을 받은 적이 있다. 갑자기 받은 질문에 무엇이라고 답해야 할지 몰랐다. 대답하지 못했다. '인생 영화' 라는 말을 들어보기는 했지만, 그 단어에 생각이 머무르지 않았기 때문인가 보다. 나중에 생각해 보니 인상 깊었던, 혹은 여러 번 보았던 영화, 그래서 내용이나 의미가 마음에 남아있는 영화를 '인생 영화' 라고 하나보다. 인터넷을 검색해 보니 비슷한 의미로 많은 영화 제목이 올라왔다.

나는 '인생 영화' 라는 말에 대응하여 나이 들고 나서 꼭 해야 하는 운동이라는 뜻으로 '인생 운동', 혹은 '생애 운동' 이라는 개념을 상정하여 말하고 싶다.

옵션이 아니라 필수로서, 나이 들면서 근육을 지키고 건강을 유지하고자 하는 영양제 같은 것 말이다. 나이가 들었으니 언제 무슨 질병이 불청객으로 소리 없이 찾아올지 모른다. 그래서 그냥 친구삼아 함께 살아가게 될지 모른다. 그래도 살아 있을 때까지는 등이 활처럼 꺾이고 허리가 낫처럼 굽는 것을 최대한 늦추고 싶다.

나는 키가 작아 음식을 며칠만 잘 먹으면 배가 볼록 나온다. 거의 10년 동안 했던 운동을 똑같은 강도로 하는데도 요즘에는 힘들게 느껴질 때가 많다. 나이 탓인가 보다. 그래도 볼록 나오는 배와 울퉁불퉁한 옆구리를 생각하며 매일 운동한다. 당연히 예전보다 더 힘들고, 어렵게 느껴진다. 그래도 해야 한다고 생각하며 노력하고 있다.

일전에 코로나가 유행인 시기를 지나 뒤늦게 방심한 틈을 탔는지 코로나에 걸렸었다. 그 코로나가 끝내 폐렴으로 진행하였다. 응급실을 거쳐 밤을 보내고 마침내 입원실로 올라갔다. 그 후 열흘간 병원에 입원해 있었다.

며칠 만에 위기를 넘긴 병원에서 점심 식사를 마치고 입원실 침대에 누워 눈을 감고 있었다. 의사도 간호사도 다녀갔으니 이제 허해진 몸만 추스르면 된다.

바닥 웬 작은 둔덕에 왕모래들이 있었다. 크고 작은 왕모래가 함께 연한 살 색을 띠어 섞이고 어우러진 모양이 너무 선명하다. 왕모래 위로 커다랗고 까만 개미들이 줄지어 원을 그리는 듯 지나고 있었다. 한참 들여다보는데 잠깐, 웬 서툰 받아쓰기 공책이다. 깍두기공책 한쪽에 두세 글자씩 칸을 메워 내려가며 받아쓰기한 공책이 또렷하다. 어릴 적 내 것인가? 아마 1학년 때의 받아쓰기 공책인가 보다. 지금 생각이 나지 않지만, 당시였다면 글자를 읽을 정도로 선명했다. 잠결도 아니고 꿈도 아니다. 눈도 감고 있었다.

죽었던 뇌세포에 산소가 공급되어 되살아나면서 시냅스가 활성화되는 모습인가 보다. 그동안 얼마나 힘들었는지, 정신을 차렸을 때 '죽을 뻔했구나!' 하고 강하게 느꼈다.

죽음을 느끼고 난 저녁에 TV를 보는데 한 프로그램이 끝나고 음악과 함께 영상 자막이 올라갈 때 눈물이 주르륵 흘렀다. KBS의 '열린 음악회'였나보다. 이 눈물의 의미는 음악 프로그램에서 느낄 수 있는 작은 감동을 놓칠 뻔했다는 안도감이었을까!

손주들을 생각할 때, 그리고 함께 모임을 하는 좋은 친구들의 행복한 소식을 접할 때도 눈물이 났다.

아직 현직에 있는 젊은 친구들이 모처럼 날을 잡아 교외로

나가 힐링 체험을 하자고 했었다. 친구들과 함께 가기로 한 여행에 나만 아파서 빠졌다. 그들이 즐겁게 시간을 보내면서 주변의 풍경을 담아 행복한 모습을 단체소통 방에 올렸다. 그 웃는 모습이 얼마나 아름답고 사랑스럽든지! '저 소중한 모습들을 모두 못 볼 뻔했구나!' 하는 생각이 들었다.

삶과 죽음이 열흘 사이에 걸쳐 있었다. 퇴원 후 얼마 지나지 않아 TV의 '명의' 프로그램에서 폐와 관련된 내용을 방송했다. 방송에서는 질병 후 개인의 회복 여부가 평소 건강관리 여부에 달려있다고 했다. 가래를 배출할 힘이 있어야 한다는 것이다.

주민센터에 건강과 운동 관련한 프로그램이 많이 있다. 또 홈트레이닝을 위한 플랫폼도 있고, 유튜브를 통하여 동영상을 찾아볼 수도 있을 것이다. 아파트 단지 내에도 헬스장이 있고, 동네에서 쉽게 접할 수 있는 헬스장도 있다. 지역마다 다르겠지만 보통 요가, 탁구, 필라테스 그리고 여러 종류의 댄스도 있다.

주 5회 정도 30분씩 꾸준히 걷는다면 걷기가 인생 운동일 테고, 주 2~3회 등산을 한다면, 그것 또한 인생 운동이라 할 수 있지 않을까 싶다. 나이가 들어감에 따라 강도도 달라지고, 주로 하는 운동의 종류도 바뀌겠지만, 어떠하든 인생 운동은 꼭 따라다녀야 한다.

운동의 효과를 보고하는 연구 결과들이 여럿 있다. 한 연구에서는 노인을 대상으로 주 2회의 운동을 5개월 동안 한 결과, 노인의 우울과 인지장애 등의 예방에 의미 있는 영향을 나타냈다. 우리 이제는 특별히 건강에 신경 쓸 나이가 되었다.

나이가 들어서인지 재테크보다 중요한 '근육 테크'라는 말을 종종 듣게 된다. 요즈음에 서울아산병원 정희원 교수가 유튜브에 출연하여 노년 건강을 강조하는 영상을 쉽게 접할 수 있다. 그는 수명이 늘어난 기간을 누워서 지내지 않기 위해 근육량을 늘리라고 강조한다.

우리 적어도 한 가지의 '인생 운동'을 하자.

8. 틀니와 임플란트

　배우 최불암이 은퇴한 축구선수 박지성과 함께 나오는 잇몸 약 광고가 있다. 광고에서 배우가 말하기를 '선수는 은퇴하지만, 치아는 평생 현역이어서 은퇴가 없다'고 말한다. 우리는 퇴직하지만, 치아가 퇴출당하도록 두지는 말아야겠다.

　나이가 들어 혈행이 좋지 않으니 가끔은 이가 제자리를 못 잡고 흔들거린다. 그러니 음식물이 이 사이에 끼기도 하여 이쑤시개를 찾게 된다. 명절을 앞두거나 스트레스를 받으면 더한 느낌이다. 잇몸과 치아, 그리고 이를 둘러싼 뼈의 염증이나 퇴행성 변화가 원인이라고 한다.

하얗던 치아의 색깔도 나이가 들면서 거무죽죽하게 변해간다. 얼마 전에 입원했을 당시 병원에서 정신을 차리고 거울을 보았을 때다. 입안과 치아까지 온통 검은색이며 입술 주위는 완전 하얀색이어서 죽음 직전까지 갔었음을 실감했다. 의사에게 혈액의 염증 수치가 매우 높아 위험했었다고 들었다.

그때의 검게 변했던 치아가 맑아지는 것을 느꼈다. 잇몸 뿌리까지 지속적인 솔질을 하니 몸이 회복되면서 이가 투명하게 변하는 것을 경험했다. 치석 제거도 중요한 일이지만 양치질할 때 잇몸 안팎을 솔질한다. 잇몸에 있는 모세혈관까지 혈액순환이 잘 되라는 마음을 가지고 하루 두세 번 살살 열심히 닦는다. 치아에 미백효과가 나타난다. 하얗게 변하지 않더라도 적어도 투명한 색을 나타낸다. 나는 치아에 대한 전문가도 아니고, 연구물을 뒤져보지도 않았다. 하지만 옛 선조들이 연구물을 인용하여 자기주장을 폈던가? 그냥 70년 가까이 살아오면서 가지게 된 생각을 고집해 본다. 지금은 아프기 전보다 오히려 하얀 치아를 가지고 있다.

퇴직 이전부터 치아 관리를 하여 건강한 치아를 유지해야 한다. 음식을 씹는 활동은 뇌에 자극을 주게 되어 치매 예방에 도움이 된다. 그뿐만 아니라 건강한 치아는 외모와 발음에도 중요한 역할을 한다.

치아는 상하게 되면 원래대로 돌아오기가 어렵다고 한다.

치아가 안 좋으면 잘 씹지 못해 음식 섭취량도 줄어든다. 잇몸에 염증이 있을 때는 염증이 혈관을 타고 온몸을 돌아다니며 당뇨, 폐렴, 치매, 심혈관계 질환 등에 영향을 준다니 소홀히 할 수가 없다. 그래서 치아 관리가 중요하다.

지금은 돌아가시고 안 계시지만, 예전에 친정어머니가 일주일에 두어 번씩 집에 와서 아이들과 살림을 돌보아주셨다. 그때 컵에 틀니를 빼서 담가놓은 것을 본 적이 있다. 내가 성인이었는데도 불구하고 컵에 담겨있던 어머니의 틀니가 무척이나 낯설었다.

지금은 치과 기술이 발전하여 치아 이식을 한다. 치아 이식은 턱뼈 속에 인공치근을 심은 후 보철 치료를 하는 방법으로, 임플란트라고 한다. 임플란트는 여러 장점이 있고 심는 재료도 안전하다고 한다. 그런데 초기에 비용이 무척 비쌌다. 일부 사람들은 몇 해 전까지 몇백만 원씩을 들여 임플란트 치료를 했다. 그리고 값비싼 임플란트 했다고 자랑하는 이야기를 들었다. 이제는 많이 가격이 내려가서 몇십만 원씩 하지만, 결국 임플란트라는 것이 예전의 틀니 아닌가! 틀니를 했다고 자랑할 일은 아니지 않은가!

임플란트도 영구적으로 사용할 수 있는 것은 아니다. 잘 관리하지 않아 '임플란트 주위염'이 발생하면 제거하게 될 수도 있다. 임플란트 제거는 새로 이식하기보다 어려운 일이고 다시 틀니를 하게 될 수도 있다고 한다.

사람들의 수명이 늘어난 여러 이유가 있지만, 그중에 치의학의 발전을 빼놓을 수가 없다. 오랫동안 치의학자들의 연구와 공헌이 있었다. 치과 치료의 발전 외에도 개인이 올바른 치아 관리로 음식을 잘 섭취하여 온몸에 영양분을 고루 주게된 것도 수명 연장에 한몫했을 것이다.

의학의 발전과 연구로 이를 대체하는 기술이 발전했어도 자연치아를 보전하고 유지하는 것보다 좋을 수는 없다. 요즈음에는 사랑니를 이용하여 자기 치아를 이식한다고 한다. 현명한 판단으로 자연치아를 훼손하지 않도록 주의해야 한다.

우리 생활에서 먹는 즐거움이 차지하는 비중이 얼마나 큰가! 옛말에 누군가가 건강한 치아는 오복 중에 하나라고 했다.

아직은 평생 임플란트라는 것을 하지 않으려고 마음먹고 있다. 잘 될지는 장담할 수 없지만, 치아 관리를 열심히 하겠다고 다짐한다. 특히 임플란트한 경우는 치아 관리가 더욱 중요하다. 건강한 치아는 건강하게 수명을 연장하는 길이다.

9. 손주는 누가 키우지?

요즈음 우리 사회에 결혼과 출산을 미루는 분위기가 대세다. 육아가 힘이 들고 한 명의 아이를 키우는 데 드는 비용이 만만치 않다. 여러 가지 이유가 있겠지만 이러한 사회 분위기는 심각하게 인구 증가를 막는다.

여성의 가임기는 보통 15~49세이다. 가임 여성 한 명이 평생 출산으로 예상되는 출생아 수가 '합계출산율'이다. 합계출산율이 통계청 통계에 잡히고 인구 증가를 예측하게 한다.

여성이 첫 아이를 출산하는 평균 나이의 증가는 세대 간의 나이 차이를 크게 한다. 예전에 한 세대를 약 30년이라고 했다면 요즈음 세대 간 간격은 35년이 넘어설 것 같다. 이 결과를 통계로 나타내 보이는 수치를 본 적이 없지만, 눈에 보이지 않게 인구수 감소에 영향을 미치는 요인이다. 늦은 나이의 출산이, 늦지 않았다면 이미 가능했을 차세대의 출산을 늦추기 때문이다.

출산율 감소와 출산 연령 증가는 젊은 연령층의 인구 감소와 맞닿아 있다. 시골에 사는 큰아주버님이 하던 말씀이 생각난다. "옛날에는 동네에 잔치가 있으면 잔치 밥을 먹었지. 그런데 요즈음엔 동네잔치가 없어". "아이를 안 낳으니 백일잔치도 없고 돌잔치도 없지". "결혼을 안 하니 결혼식도 없어. 뭐 다 서울 가서 살기도 하고". "오래 사니까 환갑잔치도 없지. 죽는 사람이 없으니 장례식도 없어". 라고. 저출산 고령화 현상을 실감하게 되는 말씀이다.

인구 감소와 고령화 현상으로 말미암아 연금수령자는 다음 세대에 부담을 주게 되는 불편한 마음을 가지게 된다. 그뿐 아니라 손주를 기다리는 노인에게는 걱정거리가 된다.

퇴직 후에 사람들과의 관계가 잘 이루어지지 않는 경향이 있다. 그 원인이 될지 모르겠지만 손자녀가 없어서 모임에 가고 싶지 않다는 이야기를 들었다. 자신의 자녀는 결혼도 아직 안 했는데, 다른 사람의 손주 자랑을 듣고 싶지 않은 거다. 그 자리에서 딱히 할 이야기도 없다. 우리 언제인가 손주 자랑하려면 '500원 내!' 하고 외치던 생각이 난다. 들어주기에 수고가 필요하다는 이유인가!

사정이 이러하니 노인에게 손주가 있는 것이, 얼마나 기쁜 일인가! 얼마나 자랑스럽고 소중한가! 더욱이 직장 생활하느라고 아이를 직접 양육하지 못했다면 손주라도 키워보고 싶다. 조부모가 되는 것이 기쁨이다.

손주를 돌보는 것이 정신 건강에 이로울 수 있다. 일주일에 한두 번 손주를 돌보는 일은 치매에 걸릴 확률을 낮추고 우울증의 발병을 막는다는 연구가 있다. 조부모들은 손주를 돌볼 수 있는 시간적, 경제적 여유가 있다. 퇴직 후 손주들을 돌본다는 것은 보람된 일이다.

퇴직하고 나서 손주를 돌보고 있는 선생님을 여럿 알고 있다. 주위에서 아는 분만 세어 꼽아도 다섯 손가락이 모자란다. 이들은 모두 당신 자녀가 어렸을 때 자녀를 시부모님이나 친정 부모님이 키워주셨다고 했다. 직장생활을 하느라 아이를 직접 키우지 못한 것이다.

이들의 마음을 알고 싶어 인터넷을 뒤지다가 다음 글을 발견했다. 아마 손주를 키우겠다는 선생님들의 마음도 이러하지 않을까 생각이 된다.

내가 이렇게 나이가 들고나니, 가장 후회되는 게 뭔 줄 아니? 먹고살기 바빠 아이들 크는 걸 제대로 곁에서 살뜰하게 돌봐주지 못한 게 가장 마음이 아파... 너는 잊지 말고 알아둬라. 돈은 언제든지 벌 수 있지만, 아이들 크는 세월은 다시 되돌릴 수 없다는 거. 나는 그게 아직까지도 아쉽단다.

그런데 모순인 것 같다. 부모가 자신의 아이를 직접 키워야 후회하지 않는다는 것인가? 조부모가 손주를 살뜰하게 돌봐주면 괜찮다는 것인가?

나는 결혼하고 출산한 이후 뒤늦게 선생님이 되었다. 작은 아이가 초등학교에 입학할 때 교직에 들어왔으니, 아이를 직접 키우지 못한 분들의 마음을 헤아릴 수 없다. 하지만 선생님들은 아이를 직접 키우지 못한 아쉬움과 내 자녀가 고생하는 게 마음 아파서 흔히 말하는 대로 황혼육아를 기꺼이 선택한다.

하지만 조부모는 계약관계에 있는 베이비시터(babysitter)와 달리 조건 없이 육아에 돌입한다. 부모니까 당연하다. 하지만 이럴 경우는 부모와 자녀가 기대하는 바가 서로 달라 갈등이 생길 가능성이 있다. 아기를 조부모 집으로 데려오는 것과 아기 있는 곳으로 조부모가 가는 방식이 있다. 여건이나 상황이 다르겠지만, 돌봄 시간이나 집안일의 한계를 정할 필요가 있을 것이다.

손주 돌보는 재미가 있고 보람도 느끼겠지만, 육아하는 할머니들이 더 우울하다는 연구 결과가 있다. 주 5회 손자녀를 돌보는 조모의 우울감이 비교집단보다 컸다고 한다. 조모의 기억력 저하와도 관련이 있었다. 앞선 연구와 차이가 있는 듯이 보이지만, 주 몇 회 손주를 돌보느냐와 관련이 있다. 여가를 즐기고 쉬어가며 하는 육아가 건강에 더 좋다.

나이 들어서 아이를 돌보는 것은 쉬운 일이 아니다. 젊을 때와 다르게 아이를 돌보는 중에 손목이나 허리를 다치는 경우도 흔히 있다. 또 백번 잘하고 한번 못하면 못 한 것만 남은 듯한 마음은 세상 어느 이치나 마찬가지일 것이다.

며칠 전에 택시 안에서 기사에게 들은 이야기다. 바로 전에 내린 중후반의 여성 승객이 차 안에서 엉엉 울었다 한다. 외손주를 봐주고 집으로 가는 중이었다. 외손주를 돌봐주면서 고생하는 딸이 안쓰러워 집안일을 하고 있었다. 아이만 볼 수가 없어 집안일도 하게 된다. 그 잠깐 사이에 그만 손주가 넘어져서 상처가 생겼단다. 너무 속상했다. 집에 돌아온 딸이, 본인도 속상하니 엄마에게 큰 소리를 냈다. 뒤이어 온 사위는 아이의 상처를 보더니 대뜸 '어머니, 돈을 ○○만 원씩 드리잖아요'. 라 말했다고 한다. 왜 손주를 다치게 했느냐는 추궁으로 들렸다. 손주가 다친 것만으로도 속상한데 그 말이 가슴에 남아, 감정을 감추지 못하고 보따리를 들고나왔다. 그리곤 택시 안에서 엉엉 울음이 터졌다.

때때로 부모는 자녀가 부모의 마음을 몰라주는 것 같아 서운할 때도 있다. 어차피 내리사랑이니 별수야 없겠지만 손주를 양육하기 위해선 단단히 마음먹고 시작해야 한다.

조부모가 아이를 돌보아줌으로써 좋은 점이 많다. 경제적인 이익이 있을 수 있고, 자녀가 계속 직장생활을 할 수 있다. 그리고 아이에게 정서적으로 좋은 영향을 주는 것, 아동학대를 염려할 필요가 없는 것은 논할 필요 없이 커다란 이익이다. 조부모의 손주 돌봄은 다음 세대를 위한 공헌이다. 출산율을 증가시켜 인구 감소를 막을 수 있는 노부모의 커다란 희생이다.

요즈음에는 손주를 키우는 조부모 가정에 지방자치단체에서 돌봄 수당을 준다고 한다. 작년 하반기부터 각 지방자치단체가 경쟁하듯이 월 30만 원씩 13개월 정도 지원한다고 하니 젊은 부부의 가족이나 아이를 돌보는 조부모 가정에 도움이 되기를 바란다.

10. 사회에서 맺어지는 관계, 그리고 관심

　며칠 전에 자격연수 동기의 모임에 다녀왔다. 열다섯 명 중에서 나를 비롯하여 서너 명이 퇴직했다. 코로나19도 있었고 서로 멀리 떨어져 살았기 때문에, 참으로 오래간만의 만남이 반가웠다. 그들이 지내는 이야기는 물론이고 잊고 있던 선생님들의 소식도 들으며 공감 가는 이야기도 있어서 의미 있게 하루를 보냈다. 퇴직 후에까지 이어지는 연수 동기 모임이나 삼삼오오 맺어진 관계들이 있어서 감사하다. 퇴직하고 나면 직장에서 함께하던 동료들과의 관계가 없어지거나 소홀해진다. 서로 마찬가지다. 동 학년 모임이나 연수 동기처럼 수평으로 맺어졌던 관계는 지속될 수 있지만, 관리자를 포함하여 수직적 관계로 맺어진 모임은 오래 유지하기가 쉽지 않다.

남순현(2017)의 연구에 의하면 은퇴 후에는 사회적 관계망의 축소로 분노, 소외감, 초라함, 자격지심 등 부정적 정서를 경험한다. 하지만 퇴직 후에 새로운 일을 하거나, 지역의 기관에서 무엇을 배우러 다닌다거나 봉사활동을 하면서 새로운 관계가 생기기도 한다. 물론 젊은 시절의 관계처럼 깊어지지는 않겠지만 그래도 노력하면서 나보다 조금 젊은 사람들도 만날 수 있다. 나이 든 이들에게는 자신보다 좀 더 젊은이와의 소통이 활력이 될 수도 있다. 그래서 퇴직 후 인간관계는 축소보다 변화라는 말로 표현하기도 한다.

퇴직하고 나면 시간 여유가 생기면서 정치에도 자연스럽게 관심이 간다. 그런데 때로 과몰입하는 경우가 있다. 어떤 이들은 우리나라 정치를 두고 이념적으로 양분되는 양상에 우려를 표하기도 한다. 이념뿐만 아니라 성별, 나이 등으로 나뉘는 사회의 양상에 위태로움을 나타낸다.

미국도 정치 논쟁이 최고조에 이르렀던 시기가 있었다고 한다. BreneBrown은 편 가르기의 어두운 부분을 이야기했다. 즉, 잘 알지도 못하고, 딱히 믿을 수도 없으며, 나나 내 가족이 아플 때 도움을 주지도 않을 정치인을 지지하느라 우리가 평소에 잘 알고 지내는 사람, 심지어 친척에게까지 등을 돌리는 것이 바람직한가.

운동경기를 볼 때는 기업이나 소속에 따라 어떤 이유로든 마음이 가는 한쪽을 정하여 편들면서 응원한다. 때로 긴박감을 느끼기도 한다. 경기에는 응원가, 먹거리 등 응원 문화가 있어 인기가 많고 소속감을 느끼면서 응원하는 재미가 있다. 그러나 정치는 우리가 이념이나 생각에 따라 미리 어느 한 편을 정해놓고 편드는 게 적절한지 생각해 본다. 물론 개인에게는 정치 성향이 있을 수 있다.

루소의 사회계약설에 의하면, 개인이 대표를 뽑아 사회를 유지하기 위해 할 일을 누군가에게 맡긴 것이다. 개인이 모든 일에 관여할 수 없기 때문이다. 국가 권력의 원천은 국민에게 있다. 사회의 질서와 안녕을 유지할 수 있도록 개인이 할 일을 정치인에게 위임한 것이다. 주권은 국민에게 속하며 양도될 수 없다. 정치인은 대리인으로서 법을 집행할 뿐이다. 그 목적을 생각하면, 정치인은 국민이 견제하며 위임된 바를 잘 수행하고 있는지 지켜볼 대상이다.

경제학 이론 중에 주인-대리인 이론이 있다. 이론에 의하면 주인으로서의 국민이 세금으로 월급을 주고 국회의원 등, 대리인을 선거 방식으로 고용하게 된다. 이때 실무를 하는 대리인이 더 많은 것을 알게 되므로 주인은 대리인의 말을 믿을 수밖에 없는 상황이 오게 된다. 대리인이 지식을 독점하고 주인이 무지할 경우, 정보 비대칭으로 도덕적 해이가 발생할 수 있다.

미국 경제학자인 제임스 뷰캐넌(James McGill Buchanan)은 정치가들이 개인의 이익을 추구하는 과정에서 정책이 어떻게 결정되는지를 연구하였다. 그는 선거 때, 국민을 위해 봉사할 기회를 달라고 호소하는 정치인들의 이야기를 믿지 않는다고 한다. 믿지 않는 이유로 인간은 자신의 경제적인 이익을 추구하는 '호모 에코노미쿠스(homo economicus)'이기 때문으로 본다.

정치는 어느 한 편을 정하여 편드는 게 아니라, 그들이 우리가 위임한 바를 올바르게 수행하고 있는지 지켜보고 다음 선거에 반영하여야 하는 게 맞다. 정치는 그들, 즉 정치 집단 전체를 하나로 보고 주권을 가진 국민의 입장으로 평가해야 한다.

좀 더 나은 사회를 바라면서 완벽한 정치를 하는 사람을 선택해야 한다. 국회의원은 국민과 같이 생활하고 서로의 어려움, 고통, 기쁨을 같이하는 정치가이며 국민의 자랑거리여야 한다.

우리는 나이 든 사회의 일원이고 지식인이다. 후세대를 위해서도 국가에 분열과 위태로움이 초래되지 않도록 화합하는 역할을 해야 한다.

Part D. 행복은 어디서 오는가

1. 행복은 어디서 오는가

행복은 여러 조건에서 느낀다. 감사할 때, 몰입할 때, 사랑할 때, 그리고 힘든 삶을 의미 중심으로 규정할 때 행복하다. 그리고 종교를 통해서 행복을 느끼기도 한다.

행복은 개인이 주관적으로 느끼는 유쾌한 상태이다. 다 자란 성인(成人)은 자기 인생의 드라이버다. 드라이버는 길을 갈 때 어느 길을 선택할지를 결정한다. 내비게이션을 따르든, 구도로를 가든 결정한다. 행복도 그렇다. 행복이나 우울을 선택할 수 있다. 상황 때문에 행복하거나 상황 때문에 불행한 공식은 없다. 행복은 스스로 만들고 느끼는 것이다. 그래서 행복은 주관적이다. 법정 스님은 다음과 같이 말했다.

행복은 문을 두드리며 밖에서 찾아오는 것이 아니다.... 멀리 밖으로 찾아 나설 것 없이 일상생활에서 그것을 느끼면서 누릴 줄 알아야 한다.

행복은 어디서 오는 것이 아니고 스스로 느끼는 것이다.

상황이나 환경이 우리를 100퍼센트 불행하거나 행복하게 할 수 없다. 마음가짐이 행복 여부를 결정한다. 살아가면서 누구나 이러저러한 힘든 일들을 겪고 살지만, 행복한 사람은 이것을 마음에 두고 오래 고민하지 않는다. 힘듦 속에서 삶의 의미를 찾는다.

의미 중심으로 상황을 규정하고 세상을 바라볼 때 더 행복하다고 한다. 한 환경미화원이 있었다. 그는 자신이 하는 일을 돈벌이를 위해서라거나 단순히 거리를 청소하는 것이 아니라 '지구를 청소하는 일'로 규정짓고 있었다. 그는 행복해 보이고 그의 표정은 늘 밝았다고 한다. 자신이 하는 일을 의미 중심으로, 더 높은 수준으로 규정한 것이다. 일에 대한 상위 프레임에서의 생각은 왜 이 일이 필요한지에 대한 의미와 목표를 묻는다고 한다.

김창구(2021)는 상위 수준의 의미 프레임은 우리가 죽는 순간까지 견지해야 할 삶의 태도라고 한다. 그리고 자손에게 물려주어야 할 가장 위대한 유산이라고 한다. 자녀들이 의미 중심으로 세상을 보게 할 수 있다면, 자녀에게 거액의 재산보다 훌륭한 유산을 물려주는 것과 같다고 한다.

인간은 좋아하는 일을 하며 몰입할 때 행복하다고 한다. 몰입은 무언가에 흠뻑 빠져 있는 심리적 상태다. 현재 진행 중인 일에 심취한 무아지경의 상태인 심리적 특성이다. 몰입 중에는 강렬한 주의집중을 한다. 행위와 인식의 융합인 무아지경을 경험하며 자신과 환경의 구분이 사라지고 시간의 흐름도 망각한다. 또 진행하는 활동에 대한 강력한 통제감, 그리고 자기충족적 속성을 지닌다.

누군가는 행복에 단계가 있다고 하며 행복의 3단계를 주장한다. 행복의 단계 중에 세 번째 단계는 단순한 즐거움이나 좋은 기분과는 다르다고 한다. 친구와 맛난 음식을 먹을 때 느끼는 기분 좋은 행복감과 다르다. 봉사자가 남을 돕는 과정에서 하향 비교를 통해 느끼는, 이만하면 만족스러운 느낌의 행복과도 다르다. 3단계의 행복은 개인이 잠재력을 실현하면서 느끼는 행복이다. 아마 몰입도 그중의 하나일 것이다.

감사할 때 행복하다. 법정 스님은 적거나 작은 것에 감사하고 만족하면 행복한 사람이라고 했다.

베트남 여행을 다녀오면서 헝겊으로 만든 빨간 파우치 한 개를 사 왔다. 벌써 이십여 년은 지났을 것 같다. 가격도 싸지만, 모양이 마음에 들어서 샀다. 그런데 그 부드러운 파우치가 시간이 가면서 점점 더 애착이 생겼다. 체인스티치가 주를 이룬, 수 놓인 헝겊 파우치다. 체인스티치는 중학교 다닐 때, 가정 시간에 배웠다. 네모로 나뉜 정방형의 구획마다 꽃잎과 나뭇잎이 서로 다른 모양으로 한 개씩 수 놓여있다. 파우치를 보면 누군가 한 땀 한 땀 손이 갔다는 느낌을 받는다. 그가 누군지 모르지만, 그때 그 나라에서 접한 사람들의 따스한 마음이 깃들어있는 듯 사랑이 느껴져서 애착이 갔다. 먼 곳에 있는 누군가를 생각하게 하는 마음이었다. 꽤 오래 사용했고 지금도 그 촉감과 모양이 마음속에 살아있다. 생각해 보면 감사하는 마음이 누군가와 연결되어 사랑을 느끼는 마음이 바로 행복이 아닐까 싶다. 감사는 행복과 밀접한 관계를 지니는 성격적 강점이라고 한다. 아침에 뜨는 해를 보고 감사하자. 새벽에 일찍 잠이 깨면, 혹은 숲이나 공원에 들어설 때 코로 들어오는 공기를 느끼면서 감사하자.

행복은 종교를 통해서 느끼기도 한다.

바쁜 부모님과 여러 형제 가운데 자라면서 우울감을 경험했던 민 교사는 대학 생활을 하면서 사랑받고 인정받고 싶었다. 늘 마음속에 사랑과 영원한 것을 갈망했다. 어디엔가 꼭 있을 것만 같은, 무엇인가를 마음으로 찾아 헤맸다. 이후에 친구의 권유로 하나님을 만나면서 '예수님이 살아계실 수 있다' 하는 믿음이 생겼다. 하나님은 인정받고 싶고, 또 사랑받고 싶은 자신에게 '내가 너를 사랑한다.', '언제나 내가 너와 함께한다' 라고 하는 것 같아 행복했다고 했다. 특히 삶의 위기를 느끼는 일을 겪게 될 경우, 믿음은 큰 힘이 된다. 어떤 종교를 가지고 있느냐는 상관이 없다. 다른 종교에 배타적이거나 자신의 종교만 옳다는 주장은 행복과 거리가 있어 보인다.

좋은 사람들과 함께 있을 때 행복하다.
젊은 날에 스키를 배운다고 서너 번 스키장에 갔던 기억이 있다. 그 추운 날 무엇이 그렇게 좋았는지 스키장에서 싱글벙글 웃던 기억이 있다. 온통 하얀 눈으로 둘러싼 주변의 풍광 때문이었을까? 골프를 치는 사람들은 골프장에 가서 웃고 즐긴다고 한다. 온통 초록인 주변의 풍광 때문일까? 아니면 스키든지 골프든지 함께 어울리는 사람, 마음에 맞는 몇몇 사람들과 함께 있어서일까? 한 연구에서 사람들은 친구들과 있을 때 더 많이 웃는다고 했다. 웃음이 사회적인 요소가 강하다고 해서 웃음을 사회적 윤활유라고 한다. 맛있는 음식을 좋아하는 사람들과 함께 먹을 때 행복하지 않던가!

남을 사랑할 때 행복하다.

이십여 년 전에 새로 개교하는 학교에서 만나 함께 고생하면서 맺어진 교사 모임이 있다. 같은 학년으로 만났으니, 나이도 성별도 각각이다. 얼마 전에 그들과의 모임이 있었다. 모임에서 가수 임영웅을 좋아한다고 하는 선생님이 있다. 그 선생님이 약간 고무된 어조로 임영웅의 이야기를 토해냈다. 그 모습을 보며 '많이 좋아하는구나!' 하는 생각 뒤에 '너무 행복하구나!' 하는 마음을 느꼈다. 나 아닌 누군가를 좋아하고 사랑하는 마음이 행복인가 보다. 많은 사람이 사랑하며 행복을 느낀다.

행복하지 않은 이유는 많이 가지고 싶은 마음에도 있다. 사람의 욕심이 거의 무한대라서 일 것이다. 어떤 일을 마음대로 하겠다는 생각 속에도 행복하지 않은 마음이 있다. 남보다 뛰어나고 싶고, 더 가지고 싶은 집착에서는 행복을 느낄 수 없다. 물론 환경이나 상황에 따라 불행하다고 느낄 수 있다. 그러나 자신의 존재가치를 능동적으로 인식하고 삶 자체에서 긍정적인 의미를 찾아 나간다면 그 과정에서 행복한 삶을 발견하게 된다.

때로는 포기도 지혜다. 타인의 기쁨도 나의 자랑이나 행복으로 여길 수 있다. 타인의 기쁨을 행복이나 자랑으로 여기는 것은 쉽지 않은 일이다. 질투가 앞서기 때문이다. 그럴 때는 그 친구가 바로 내 친구라는 생각으로 축하해 주자. 유유상종이다. 훌륭한 친구와 나는 동급이다. 나아가 타인의 행복을 바란다면 마음이 든든하고 편해진다. 죽음을 앞두고는 더욱 그러하다.

특히 노년기의 행복은 성공이나 출세와 같은 자기실현에 있지 않고 정서적이고 영적인 안녕에 달려 있다. 노년기의 행복을 위해서는 삶의 목적과 의미를 생활에서 찾으며 마음을 비우는 것이 필요하다.

2. 살림 정리, 그리고 행복공간 마련

이 선생은 퇴직 후에 베란다에 자신만의 작은 공간을 마련하였다. 좋아하는 음악을 들을 수 있도록 옛 앰프와 스피커로 꾸민 작은 휴식공간이었다. 자랑삼아서인지 너무 행복해서인지, 둘 다겠지만 사진을 찍어 단체 소통 방에 올렸다. 그가 보내는 메시지와 함께 사진을 보면 참 행복한 공간으로 느껴졌다. 퇴직하고 나서 자신만이 누릴 수 있는 행복한 공간은 꼭 필요하다.

나는 한두 해 전에 베란다에 작은 탁자를 놓았다. 발굽 하나가 빠져 있지만 사용하기에는 문제없는 철제 원탁을 3만 원을 주고 덥석 들고 왔다. 지름이 60cm 정도나 할까? 그리고 분리수거장에서 주운 하얀색 철제 의자를 놓고 탁자에는 작은 수가 놓인 리넨 보자기를 씌웠다. 그러고는 꽃 화분이 늘어선 베란다에 나가 남편과 함께 차를 마셨다.

거실에서 마실 때와 달리 색다른 기분이 들었다. 행복이 바로 거기에 있었다. 아무도 없을 때 그곳에서 평온한 마음으로 좋아하는 책을 읽어도 좋겠다.

공간은 인간 행동에 영향을 미치는 물리적이고 입체적인 범위면서 심리적인 매개체 역할을 한다. 풀과 나무가 많은 환경에 사는 사람들이 더 행복하고 안전하게 느낀다는 보고가 있다.

건축 분야에 공간과 건축이 인간의 사고와 행동에 미치는 영향을 고려하여 더 나은 건축을 탐색하는 학문으로 신경 건축학(neuro architecture)이 있다. 신경 건축학에서는 심리적인 현상을 과학적인 측정을 통해 입증해 보였다. 병실 창밖으로 자연풍경이 내다보일 때 환자들이 더 빨리 회복된다는 것이다.

나는 퇴직 후에 집안 곳곳을 살펴보며 화장실에 너무 많은 물건이 있다는 것을 깨달았다. 욕조 가장자리 앞뒤로 물건이 얼마나 많은지.... 여러 가지 세제 용기들이 제멋대로 놓여있고, 조금씩 남은 병들이 모여 있었다. 여러 해 전에 누군가 요청하여 사게 된, 사용하지 않은 세제들도 서너 병이 있었다. 화장실 입구의 전실 수납함에도 무슨 화장품들이 그렇게 많이 있는지…. 견본 화장품도 유통기한이 지난 채로 여러 개 있었다.

여행지에서 본 호텔의 욕실 분위기를 떠올리며 하나씩 하나씩 치워나갔다. 최소한의 물건만 남도록 깔끔하게.

그동안 너무 바쁘게 살았다. 퇴근하면 가족의 식사 준비로 시간을 보냈고, 아이들과 소통하느라 시간을 보냈다. 퇴직하고 인제야 정신없이 늘어 놓인 주변의 물건들이 보이기 시작한다. 자연스레 하나씩, 둘씩 치우게 되었다.

'미니멀라이프(minimal life)'라는 말이 있다. 자발적으로 불필요한 물건을 줄여 적게 소유하는 것이다. 그리하면 생활이 단순해지고 마음과 생각이 정리되면서 삶이 더 풍요로워진다고 한다. 행복의 비결은 많이 가지는 것이 아니라, 적은 것으로 즐길 수 있는 능력을 키우는 것이다. 버릴수록 행복하니 단순히 소중한 것에 집중한다는 것이다. 최소한의 삶이 주는 행복이다.

한 정리전문가는 물건을 늘어놓고 사용하지 못하는 공간을 값어치로 이야기한다. 정리하지 않아 사용하지 못하게 된 공간을 집값과 대비하여 평당 가격 얼마라고 말한다. 정리의 가치를 강조하는 것이리라!

법정 스님은 여름내 먹거리들을 내어준 가을 채소밭을 정리하며 '아름다운 마무리'라고 했다. 스님은 지나간 모든 순간과 작별하고 아직 오지 않은 순간들에 대해서는 미지로 남겨둔 채, '지금, 이 순간'을 받아들이는 것이 아름다운 마무리라 했다. 또 삶에 꼭 필요한지, 그 물건으로 인해 진정으로 행복한지 가려내어 불필요한 것에서 자유로워진다고 했다. 그러면서 간소한 생활을 '소유의 비좁은 감옥으로부터 자신을 해방하는 것'에 비유하였다.

나도 어느 물건이 내가 생활하는 데 꼭 필요한지 가려내어 자유로워지고 행복해지고자 한다. 조금은 용기가 필요할 것 같다. 정리한 후에 남은 공간은 행복을 다지는 공간으로 마련해 보자.

언젠가 TV에 정리와 관련된 프로그램을 방영할 때가 있었다. 계속해서 몇 차례 보면서 아버지를 위한 공간이 의외로 적다고 느꼈다. 서재가 있다면 다행이지만 보통 주방, 침실, 거실을 생각해 보면 우리 집도 그런가 싶다. 코를 골아 잠을 못 잔다고 남편이 스스로 선택한 방이 작은방이니 자연스럽게 넓은 안방은 내 차지가 되었다. 할 수 있다면 퇴직한 남편에게 행복 공간을 배려하면 어떨까 싶다.

3. 깨닫고 보니 감사한 것들

마음을 비워서일까? 포기일까? 아하, 적응인가 보다!

  선생님들에게는 퇴직 후 생긴 변화로 인해 흡족하지 않았던 것들이 많았다. 그러나 날이 갈수록 변화된 생활의 의미가 새롭게 정의 내려지고 오히려 감사한 마음이 들었다고 한다.

  민 교사는 퇴직 이후 몇 달 동안 재직 시 받던 급여보다 줄어든 연금이 너무 적게 느껴졌고 수령일도 뒤로 밀려나 우울감을 느꼈다. 적응이 안 되고 너무 힘들었다. 그러나 1년이 지나고 나니 적은 연금, 이것마저 없었으면 어떻게 했을까? 하는 생각에 수당 없는 연금이라도 무척 고맙게 생각되었다고 말한다. 힘든 일상도, 풍성하지 않은 살림살이도 적응되니 감사와 행복이었다.

유 교사는 퇴직 이후에 하루 세 번의 식사 준비가 너무 힘들었다. 출근할 때는 아침에 바쁘니 대강 먹고, 점심에는 학교 급식을 먹고, 저녁 모임이 있을 때 밖에서 먹는 일이 많았다. 저녁 준비로 하루 한 번, 먹고 싶은 음식을 조리해서 먹었다. 그런데 이제는 하루 세 끼를 먹는다. 혼자가 아니라 함께할 남편이 식사를 기다린다. 무슨 음식을 해야 할지 막막하고 어려웠다. 그런데 지인을 만나 이야기를 듣고 나서 어렵던 식사 준비를 천국 생활처럼 생각하고, 힘들다는 마음을 감사한 마음으로 바꾸었다.

처음엔 너무 힘들었어요. 우울증 걸릴 정도로. 메뉴를 짜야 하고. 그래서 고민하고. 한 3, 4개월까지는 너무 힘들었어요. 근데 어떤 분이 그러시더라고요. 지옥 가서도 여기가 천국이라면 천국이고, 천국 가서도 지옥이라고 생각하면 지옥이라고요. 정말 크게 마음에 와닿았어요. 그래서 힘든 마음을 내려놨어요. 그러면서 만약에 이 사람 없으면 나 혼자는 밥을 안 해 먹을 것 같다는 생각이 든 거예요. 이러니까 감사함을 느끼게 됐어요. 그래서 다 내려놓고 '열심히 하자. 정말 최선을 다하자.' 그런 마음이 들었어요.

인간사 모든 것이 마음먹기 달렸나 보다. 현명한 적응이다.

이 교사는 예전에 아버지처럼 살기 싫어서 저런 아버지는 되지 않으려고 마음먹었다. 나이가 들고 부모님이 모두 돌아가시고 나니 이제야 아버지의 사랑이 크게 와 닿는다고 했다.

> 아버지의 잔정도 못 느끼고 자랐지만 돌아가시니까. 어머니 돌아가시고 아버지 돌아가시니까, 아버지 사랑이 표현은 안 했어도 '엄마 사랑보다 더 컸구나'라는 걸 느껴. 나이가 육십팔 세면 그 언어를 볼 수 있잖아요. 말이 아니라도. 돌아가시고 나니까 아버지가 더 크게 보이더라고. 아버지에 대한 원망도 있고 그리움도 있는 거 같애.

부모가 되어 부모의 사랑을 생각하는 것일까! "아빠처럼 살기 싫다며 가슴에 대못을 박던~♬ ♪!" 가수 영탁이 부른 '막걸리 한 잔'의 노랫말이 생각난다.

김 교사는 나이가 드니 세상에 급한 것도, 격한 것도 없어졌다고 한다. 또 살아보니 사람은 다 똑같아서 겉보기에 어떠하든지, 가진 게 있든지 없든지 결국 모두 같다고 말한다. 한비자, 공자, 부처, 예수가 한 말들도 이제 생각해 보니 결국은 모두 같더라. 걱정해 봐야 할 수 있는 게 없고 행과 불행도 일시적이라는 것을 깨달았다고 한다. 또 여태껏 누리고 살았으니, 이제는 욕심 없이 내려놓는 마음으로 나를 낮추고 베풀며 살아보자! 하는 감사와 깨달음이 있었다.

이러듯이 많은 퇴직자는 퇴직 후에 시간이 지날수록 퇴직생활에 적응되어 간다.

나비의 한살이를 보면, 애벌레는 번데기가 되고 번데기는 허물을 벗고 나비가 된다. 만일 번데기가 애벌레로서의 움직임과 섭식을 원하고, 나비가 번데기 시절의 달콤한 잠을 원한다면 자연 속의 생물로 잘 적응하지 못하여 생명에 위협을 받게 될 것이다.

퇴직 이후의 생활에 잘 적응하는 사람이 있는 반면에 그렇지 못한 사람이 있다. 이제 퇴직했으니, 자신을 그냥 할머니나 할아버지로 생각하고 받아들이는 사람이 있고, 퇴직 이전의 잘 나가던 생활에 집착하며 그때의 자리나 영화로웠던 순간에 더 몰두하는 경우가 있다. 자연에서 이치를 찾아 적응하는 법을 배운다면 이것도 지혜가 아닐까 싶다.

심리학 공부 중에 병리적인 사람의 마음에 관심을 가지게 되면서 생각하게 된 것이 있다. 사람이 과거에 누리지 못했거나 이루지 못한 것에 대해서 집착하면 우울해지고, 미래에 다가올 일에 집착하면 불안해지기 쉽다. 짧은 말로 공식처럼 읊어본다면 과거 생각은 우울이고, 미래 걱정은 불안이다.

내가 통제할 수 있는 행위는 지난 과거도, 앞으로 올 미래도 아니다. 오로지 현재뿐이다. 위대한 인간은 어느 정도 스스로 생각을 통제할 수 있다. 과거에 몰두해 있는 자신을 깨닫고 얼른 현재로 되돌아오는 일이다. 불확실한 미래에 대한 파국적인 생각을 얼른 거두어들이고 지금, 여기, 나 자신에 집중할 수 있어야 한다.

나는 이제야 바로 이 순간을 사는 법을 배우고 있다네. 지금까지 많은 시간을 평생 일어나지 않을지도 모르는 일이 벌어지면 어떡하나 하는 걱정들을 하며 보냈지. 하지만 많은 시간이 흐른 후에 깨달았어. 중요한 것은 이 순간에 충실한 것이라는 것을.

위는 칼 필레머(Karl Pillemer)가 72세 노인의 이야기를 옮긴 것이다.

4. 스스로 행하고 스스로 행복하다

　주위에 돈이 많고, 잘 생기고, 가정도 화목하고, 자녀도 잘 되고, 좋은 직장에 다니는 사람이 있으면 부럽다. 그 사람은 행복할 것 같다. 이 글을 쓰면서도 '당연히 행복하겠지' 라는 생각이 든다. 걱정이 없을 것 같다. 하지만 사람들이 하는 말과 마찬가지로, 한가지 걱정이 없는 사람들은 아마 없을 것이다.

　상담의 형태 중 집단상담이 있다. 집단상담은 보통 6~8명 안팎의 내담자가 함께 모여 비슷한 주제를 가지고 상담에 참여하는 것이다. 상담이 진행되는 과정에서 내담자는 자신의 걱정만 큰 줄 알았는데, 아니면 나만 이러한 문제로 힘든 줄 알았는데 집단원 모두 비슷한 문제를 가지고 있었다는 데 대해 안도하며 서로 위로를 주고받게 된다.

겉으로 보기엔 모든 것을 가진 듯이 보이는 사람도 그 안에서 불행할 수 있고, 불행해 보이는 사람도 행복을 발견하고 있을지 모른다. 행복은 개인이 평가하여 마음으로 느끼는 것이기 때문이다. 물질이나 외부 조건으로 사람의 마음 상태를 짐작할 수 없는 것이다. 행복은 각자의 내면적 가치로 결정된다. 그래서 주관적 행복이라 하는 게 아닐까!

몇 해 전, 대학원에서 긍정심리학 수업이 있었다. 수업에서 자신의 행복 습관 세 가지를 적어서 제출하라는 과제가 있었는데 무엇을 어떻게 적어서 내야 할지 난감했다. 솔직히 나에게 무엇이 행복한 일인지 모르고 있었다. 과제를 제출하기까지 두 달여의 기간이 있었다. 늘 나를 행복하게 하는 일이 무엇일지 생각하며 두 달여를 보냈다. 그러고 나서 생각해 낸 나의 행복 습관 세 가지다.

먼저, 하루 15분 정리의 행복이다. 설거지하기 싫을 때, TV 보다가 한 프로그램이 끝났을 때, 외출에서 돌아왔을 때 15분 타이머를 설정해 놓고 주변을 정리했다. 소홀해지기 쉬운 구석과 늘어져 있는 집안의 물건 정리를 하는 것이다. 그 과정에서 제한된 15분 동안 정리를 마치려는 부지런한 몸놀림이 어릴 적 게임에서 이기려는 마음 같아서 즐거웠다. 잠시지만 몸에 활력이 생겼고 정리된 집안을 둘러보는 만족감이 있었다.

두 번째는 하루 30분, 좋아하는 책 읽기 활동이다. 주중 매일 오후 3시, 쉼이 필요한 시간에 핸드폰 알람을 설정해 놓고 정해진 시간에 따라 책을 읽었다. 당시에 읽던 책은 『왜 거기에 수도가 있을까-처음 만나는 수도 이야기』였다. 과제에 몰두하다가 쉬고 싶을 때 읽기 딱! 좋았다. 과제라는 부담에서 왠지 탈선하는 느낌이다. 책상을 떠나 거실 바닥에 넓적 엎드려서 읽었다. 핸드폰에 세계지도를 열어놓고 각 나라의 수도를 찾는 기쁨. 대륙의 위치와 인접한 다른 나라도 함께 보며 짤막짤막한 글들을 읽어나가는 재미가 있었다. 지도를 찾고 책을 읽는 동안 이상하리만큼 마음이 평화로웠다. 왜일지는 지금까지 나도 모른다. 아마 저자가 차분하고 행복한 마음으로 글을 썼을까?

마지막으로는 트로트 가수의 팬 활동 즐기기다. 퇴직하고 나서 시간이 있으니, 유튜브도 텔레비전도 더 많이 보게 되었다. 그러면서 자연스럽게 소년 가수 정동원을 화면으로 알게 되었다. 노래를 유튜브로 듣고, 곡을 내려받아 듣고, 팬 밴드에 들어가 대화를 읽고, 사진 보고, 댓글을 달았다. 밴드 안에 링크되어 있는 기사와 영상 보기로 시간과 장소를 가리지 않았다. 거의 언제 어디에서나였다. 침대에 자려고 누워서, 또

부엌에서 설거지하며, 때로는 길을 걸으며. 지금 생각하면 빠져들었던 것 같다. 예전에는 이해하지 못했다. 이제는 덕후 활동에 몰입하여 활동하는 팬들의 마음이 이해되고 그들이 얼마나 행복한지도 그려진다.

나는 위의 활동들이 나의 행복 습관인지 몰랐다. 하지만 분명히 이 활동들을 할 때 즐거웠다. 행복한 습관들을 찾느라고 두 달을 보냈다. 이처럼 우리는 모두 일상의 활동이 바로 행복이라는 것을 모르고 지낼지도 모른다.

나는 커피를 아주 좋아한다. 점심을 부실하게 먹고 나서도 커피는 우아하게 마신다. 며칠 전에 점심을 먹고 나서 남편에게는 잣을 띄운 유자차를 연하게 주고, 나는 커피믹스를 탔다. 찻잔을 들고 거실 소파로 갔다. JTBC 골프 방송에서 경기를 보여 주고 있다. 남편이 보고 있었다. 나는 골프를 치지 않기 때문에 골프 경기는 재미가 없다. 단지 내 손에 들린 커피만 좋을 뿐이다. 소파에 앉으니 TV 화면의 초록색 잔디밭이 온통 눈에 들어왔다. '그래. 잔디밭에 앉아 커피를 마신다고 생각하자.' 스스로 행하고 스스로 행복했다. 인생은 연극이다.

나는 이따금 찾아오는 내담자에게 인생을 무겁게만 생각하지 말고 연극으로 생각해 보라고 할 때가 있다. 예를 들어, 자녀나 남편 혹은 아내를 볼 때마다 매번 화가 나서 힘든 사람이 있다. 좋은 말을 해야 한다는 것을 알지만 마음대로 안 된다. 하던 대로 하면 서로의 관계를 해칠 뿐이다. 나는 내담자 마음의 깊이를 탐색하고 난 후에는 필요에 따라 연극 하듯 자신의 언행을 조정해 보라고 권할 경우가 있다.

또한 상대에게 속마음을 표현해야 하는데 해본 적이 없어서 쑥스러울 때가 있다. 맨정신으로 부드러운 말을 표현하기가 낯간지럽게 느껴질 때가 있다. 이럴 때 연극에서 내가 맡은 배역이 해야 할 언행이라면 할 수 있을까? 인생은 연극이다. 단, 진솔함이 배제되면 안 된다.

5. 힘들지만 행복한 길

행복해질 수만 있다면 힘든 길을 기꺼이 가겠는가?

자원봉사 활동은 무엇인가 대가를 기대하거나 시간이 남아서 하는 활동이 아니다. 남을 도우려는 이타심에서 출발한다. 단지 남을 도우려 했을 뿐인데 결과가 행복하다면, 살면서 맞이하는 일 중에 이만한 로또가 또 있겠는가!

퇴직하고 난 후에 스스로 여태까지 잘 살아왔다고 생각하는 사람 대부분은 퇴직 이후에 자신만을 위해 사는 것에 대해 사회에 빚진 느낌이 든다고 한다. 연금을 받으면서 편하게 살고 있다는 사실에 감사한다. 그래서 누군가에게 어떠한 방법으로든 되돌려주는 것이 마땅하다고 생각한다. 다음은 몇 분의 선생님이 봉사자에 대한 자신의 의견을 나타낸 것이다.

은퇴할 때까지 사회로부터 많은 혜택을 받았잖아요. 이 제는 뭔가 사회에 기여할 수 있겠다는 생각이 들어요. 도움이 필요한 쪽에 뭔가 재능을 기부할 수 있다면 그게 사회에 환원하는 거로 생각되기도 해요.

국가에서 받은 혜택을 이제는 내가 '다른 사람한테 베풀어야겠다.' 이런 마인드가 생겨서 하게 되더라고요. 사회에 대한 보답으로 조금이라도 돌려줄 기회인 거지.

마취에서 깨어나니 수술을 한 7시간 반 했다고 하더라고요. 어떻게 생각하면 두 번째 사는 건데, 하늘이 고맙고 또 세상이 고맙고. 그거에 대해서 조금이라도 갚는다 그럴까? 내가 꼭 '봉사를 해야겠다' 하는 것보다도 내가 빚진 거를 좀 얼마라도 갚는 마음이다.

특히 역할이 없어진 선생님들은 허전한 마음을 달래고 싶다. 뜻있는 활동에 참여하여 자신의 가치가 퇴색되지 않으면 좋겠다는 마음에 봉사활동을 선택한다. 또 이웃을 불쌍히 여기는 마음이 움직이기도 한다.

퇴직하고 집에만 있으니 몸과 마음이 너무너무 지쳐있는 거야. 아무런, 활동하는 것 없이, 병원에 왔다 갔다 하고, 그것 뭐 어떻게 할 수가 없더라구요. 너무 무료하고, 허무하고, 내 지적 만족감을 채울 수가 없으니까 '이래서는 안 되겠다.' 그런 마음이 생겨서 의도적으로라도 활동하게 된 거지.

우연히 TV에서 수해를 입었는데 누군가가 봉사를 하는 걸 보았어요. 근데 그게 가까운 마을, 들여다볼 수 있는 곳이어서 하게 된 거 같아요. 그냥 쌀 한 포대 사다 주고. 마루에다 던져 놓고 도망 왔어요.

지난겨울에 연탄배달 하는 거 가서 경험해 봤는데, 현재 우리 사회 어려운 사람들의 실태를 다시 한번 깨닫게 되었다. 그런 생각이 좀 있었어요.

봉사자원봉사자는 그 이름처럼 자발적으로 활동에 참여하여 진정으로 남을 돕고자 한다. 처음에 베풀려는 마음과 겸손한 마음을 가지고 봉사를 시작하며 활동할 때는 열의를 가지고 정성을 쏟는다. 이러한 마음과 태도가 힘이 들더라도 봉사활동을 지속하게 하는 원동력이다.

내가 즐거워서 하는 거예요. 내가 즐거워서. 그리고 제 심정은, 죽으면 썩을 건데 뭐 그렇게 몸을 아껴요? 건강만 해치지 않는 한에는 움직이고.

'힘들다.' 생각하면 못 해요. '힘들다, 힘들다.' 하면 봉사 못 하지. 독거 어르신들 김장해서 갖다 드리는 거, 그 김

장이 그들에게는 양식이잖아.

자원봉사와 관련된 연구에서 자원봉사자는 봉사를 통해 더욱 건강해지고 활동 중에 기쁨을 느낀다고 한다. 특히 퇴직하고 나서 하는 자원봉사 활동은 노인에게 행복을 느끼게 한다. 누군가를 만난다는 기쁨, 갈 곳이 있다는 기쁨, 할 일이 있다는 기쁨에서 행복을 느낀다. 그 기쁨으로 인해 생활의 활력을 찾는다. 그리고 봉사를 받는 자들이 기뻐하는 모습이 봉사자의 기쁨이 되고, 봉사활동으로 몸이 건강하게 되니 행복하다고 하였다.

윤 교사는 어르신들이 즐거워하시는 모습을 보면서 자신도 함께 기뻤다고 했다. 퇴직하고 나서 활동을 시작하니 활기차게 하루를 보낼 수 있었다. 기분이 좋고 마음에 여유가 생기는 것 같다고 했다.

자원봉사자들은 봉사활동을 하면서 정서적인 건강을 얻게 된다. 생활에 대한 감사, 활동하면서 스스로 느끼는 자부심은 개인의 자존감을 높이기에 충분하다. 정서적 건강은 봉사활동이 주는 매력이다.

어르신들을 만나는 기쁨도 있고, 퇴직하고 출근 안 할때, 어디 가게 되는 목적이 있어서 참 좋았어요.

아직은 사회에 참여할 수 있고 헌신할 수 있다. 그런 삶의 의미, 내가 아무짝에도 쓸모없는 인간으로 느끼게 된다면 삶이 참 무기력하게 느껴질 텐데.

사람은 어떤 조건이나 상태에 있을 때 행복하다고 느끼게 될까? 어떤 마음의 흐름이 행복감을 만들어낼까? 이의 답은 행복에 관한 심리학적 이론에서 찾을 수 있다.

행복에 관한 심리학적 이론들에는 욕망 충족 이론, 목표 이론, 비교 이론 등이 있다. 비교 이론은 상태를 평가하는 기준에 따라 우월한 방향으로 차이가 클수록 행복감을 경험한다. 상태를 평가하는 기준은 개인마다 다를 것이다. 높은 기준을 가지고, 상향적 비교를 하면 불행감을 느낀다. 반면에 하향적 비교를 하는 사람은 행복감을 느낄 수 있다.

자원봉사자들은 어려운 상황에 있는 봉사 수혜자들을 만나 자연스럽게 감사한 마음을 가지게 된다. 그 감사와 만족감이 행복을 느끼게 해준다. 다음은 어느 봉사자가 노인과 소외계층을 상대로 봉사하면서 감사함을 표현한 이야기이다.

'아, 저분보다는 그래도 내 삶이 조금 낫구나!' 거기서 오히려 행복하고 감사함을 느낄 수 있는 거, 내 삶에 '감사하다'라는 생각이 듭니다. '나는 이만하면 만족하지.' 하는 자부심도 느끼고. 위를 보는 거보다 아래를 보게 되지요.

봉사활동을 하면서 봉사자의 자존감이 향상되고 노후의 삶에서 만족감을 더할 수 있다. 가족의 협조와 지지를 받으면서 정서적인 건강도 유지할 수 있다. 민 교사는 봉사활동에 남편의 지지를 받고 있다고 하면서 봉사는 남편이 하는 거라고 표현한다.

공무원연금공단에서는 전국에서 '상록자원봉사단'을 결성하여 활동하고 있다. 퇴직 후 공직에서의 경험과 전문성을 살려 사회에 봉사하고 공헌하는 기회를 제공하기 위해 운영한다고 한다. 각 시도별로 퇴직공무원 봉사단체가 있다.

내가 거주하는 곳에도 지역 상록봉사회가 있다. 어느 날 문자를 받고 단체를 알게 되어 지금까지 활동하고 있다. 봉사활동이 있는 날에 서로 협조하는 마음으로 참여하는 따뜻함, 봉사 단원들을 만나는 반가움, 그리고 봉사의 뿌듯함이 있다.

사회적으로도 봉사활동은 사회에 이바지하는 가치 있는 활동이다. 노인 인력이 사회복지 자원으로 활용되는 것은 고령사회가 안게 되는 사회적 부담을 경감시키는 효과가 있다.

봉사는 남을 돕는 일 같지만, 그 결과로 오는 기쁨은 봉사자가 느낀다. 특히 은퇴자에게 봉사는 사회적 활동을 촉진하고 우울증을 예방할 뿐만 아니라 정서적·신체적 건강과 장수에도 도움을 준다고 한다.

퇴직 후 자원봉사는 사회 발전에 이바지하는 아름다운 노화 모델이다.

6. 가족에서 존재 의미를 찾다

상담 심리학에서는 자신이 낳고 자란 가족을 '원가족(原家族)'이라고 한다. 가족 형태에 따라 다르겠지만 보통은 부모와 형제자매로 이루어진 가족이다.

개인은 그의 부모에 의해서 기질이 결정되고 양육 환경인 원가족 안에서 성격을 형성해 가며 성장하게 된다. 그리고 결혼하여 새로운 가족을 이루는 것이다. 새로 결혼하여 한 가족을 이룬 신랑·신부에게는 서로의 원가족이 있다.

그 가족은 각각 상황이나 문화가 달라서 거기에서 일어나는 갈등이나, 위기, 느끼는 행복이나 부담 등이 모두 다르다. 부부도 서로 다른 원가족에서 성장했기 때문에 그렇다. 서로 삶의 방식에 차이가 있는 다른 문화에서 성장하여 결혼했다.

살면서 사랑도 하고 싸움도 했다. 이들은 부부가 되어 사는 동안 서로 정서적으로 가장 가깝다. 당연히 기대도 많고 따라서 실망도 많을 수 있다. 만일 당신이 배우자와 30년 이상의 긴 세월 동안 결혼생활을 유지했다면 이는 기적과 같은 일이다. 그 긴 세월 동안 얼마나 많은 순간을 참고 견뎌내고 또 포기하고 살아냈을까! 이건 누구 한쪽만의 이야기가 아니다. 당신이 그런 것처럼 당신의 배우자도 마찬가지다.

그렇게 다양한 일들을 겪으면서 살아오고 퇴직한 교원들은 다수가 각자 자신의 가족에 대해서 비슷한 의미를 부여한다. 가족 중에 배우자를 칭할 때 그 의미를 보물, 동반자 등으로 표현한다. 가족이 아프거나 위기에 처했을 때 가족의 소중함을 더 깨닫게 된다고 하며 싸우면서 지낸 기간이 오히려 행복했다고 표현한다. 즐거움은 물론 고통까지도 함께 나눌 수 있는 배우자가 얼마나 소중한가! 너무 가깝고 당연히 가지게 되는 기대 때문에 그 소중함을 때때로 잊기도 한다.

내가 퇴직 직후 남편과 함께 지내며 경험한 이야기다. 저녁밥을 준비하는데 남편은 방에 들어가서 아마추어 무선통신을 하고 있다. 아마추어 무선통신은 핸드폰이 없던 시절에는 신기하고 유용한 취미생활이었다. 나는 그 취미생활을 '남자들의 수다 떨기'라고 이름 지었었다. 어떨 때는 음악을 듣고 있기도 하다. 부엌에서 소리가 나고 냄새도 나니 식사 준비하는 것을 알고 있을 거라고 생각이 든다. 식사 준비에 관심을 두는 것은 고사하고 다 준비해 놓고 식사하라고 불러주기를 기다리나 보다. 얼마나 속이 상하고 섭섭한지, 밥을 다 차려 놓고 먹으라고, 아니 먹자고 부르지 않았다. 나도 그냥 기다렸다. 스스로 나올 때까지. 식사 준비를 함께하지는 않더라도 준비에 관심 가져주기를 바라는 마음이 심술로 나타났나 보다.

이 글을 쓰면서 '나도 참 못됐구나!' 하는 생각이 든다. 평계를 대자면 아이들이 모두 출가하고, 둘만 집에 있고, 나이가 드니 모성애가 바닥났나 보다. 결국은 나의 행동은 모성애가 바닥난 늙은 마누라의 심술이었다.

여성 퇴직자로서 요청컨대, 남편들은 아내가 한 시간 가까이 음식을 준비하는 동안에 혼자 TV나 책이나 유튜브를 보지 말자. 부엌에 와서 거들지 않는다면 최소한 자신의 방이라도 청소하자. 당신의 아내도 모성애가 바닥이 났으므로 식사를 준비해서 남편에게 바치고 싶지 않을지 모른다.

젊은 시절, 아이를 키울 때는 정신없이 아이들과 가족들 시중들고, 출근하고, 퇴근 후까지도 남은 살림 하느라고 바빴지만 씩씩하게 모두 잘 해냈다. 젊은 시절에 무조건 희생하던 초인적인 힘은 그 에너지가 모성애에서 비롯되었을 것이 아니었을까? 모성애가 고갈된 아내를 위해서 남성들은 아내의 식사 준비에 관심 가져주기를 바란다.

이혼 전문 변호사의 유튜브 채널에서 들은 이야기다. 예전에는 여성이 힘든 생활을 견디느라고 화병이 생겼다 한다. 요즈음에는 아내가 젊은 시절에 힘들고 서운할 때마다 남편에게 '어디 늙으면 보자~' 생각하며 벼르고 기다린다고 한다. 남편이 늙고 퇴직하니, 경제적인 여유가 있음에도 남편에게 용돈을 최소한으로 준다. 자녀들도 모두 엄마 편만 드는 모습이 안타까웠다고 했다. 아내가 이제 그만하면 된다는 것을 모르니 나이 든 남편이 불쌍해 보이더라고 했다.

부부에게 자녀는 떠나갈 존재다. 이것이 자연의 이치다. 부부는 곁에서 서로 돌봐주며 같이 늙어갈 존재다. 몸이 쇠약해질 때, 부부는 각자에게 최고의 간병인이다. 이만큼 살았으면 행복하게 살 때가 되었으니 각자 배우자를 대하는 마음이 서로서로 동반자이고 보물 같으면 좋겠다. 아무리 모성애가 바닥났다고 하더라도.

남성이 퇴직 이후 가정에서 느끼는 감정은 참으로 다양하다. 모두는 아니겠지만 일부 퇴직자는 가장의 자리가 형편없이 쪼그라든 것 같다고 한다. 아내에게 식사 부담을 주는 것 같고, 자신이 더 이상 가정에서 의사결정자가 아닌 듯하다. 심지어 자녀와 아내의 대화에 끼어들지 못하는 외부자 같은 감정을 느낄 때도 있다고 한다.

또 퇴직하고 나서 부쩍 심해진 아내의 잔소리가 견디기 힘들다. 그러나 아내의 입장으로 보자면, 출근하면 보이지 않던 남편의 모습이 퇴직 후부터 보이기 시작한다. 남편이 하는 행동이 마음에 들지 않을 때가 있다. 함께 지내는 시간이 많아지니 일상에서 사소한 갈등이 생기게 된다. 그때마다 아내는 아이를 잔소리로 키워낸 것처럼, 남편에게 잔소리한다. 남편은 부부가 함께 지내는 시간이 즐겁지 않다. 아내는 바른말을 하는데, 남편에게 들리는 것은 아내의 잔소리다.

배우자가 느끼는 상대의 존재는 너무 크다. 태산만큼 높다. 아내의 목소리가 조금 커지면 남편은 위축된다. 벌써 귀가 닫히기도 한다.

아내가 서운하다고 말할 때는, 아니 잔소리할 때는 그냥 들어주자. '부처님 귀에 경을 읽어라. 나는 이제 석불이니…. 생각하고'. 단지 한마디씩만 해주자. 고개를 끄덕이며 "그때 서운했었구나! 내가 몰랐네." "그래서 속상하구나." 이렇게.

직장에서 긴장하고 지냈던 것처럼, 가정에서도 아내의 요구에 약간만 주의를 집중해보자. 퇴직하고 편한 것은 좋지만 갑자기 긴장이 풀리면 안 되니까.

직장생활을 책임 있게 잘 해내고 퇴직한 남편은 아이가 아니다. 스스로 잘 살아온 성인이다. 아내는 비난하는 말투가 아닌 친절한 말투로 집안의 규칙을 알려주면 어떨까. 사실은 고쳐지지 않는다. 배우자를 변화시키겠다는 마음은 어리석은 것이다. 포기하는 편이 쉽다. 있는 그대로, 그대를 받아들이자. 당신은 현명하니까.

여성은 배우자와 맞벌이를 하고 함께 퇴직했을 수도 있지만, 가정주부로 살거나 다른 일에 종사하다가 배우자의 퇴직을 맞이하게 되기도 한다.

가정주부로 혼자 집에 있던 아내는 남편의 퇴직으로 갑자기 바뀐 생활이 힘들 수 있다. 남편을 위해 준비하지 않던 점심을 차려야 하고 늘 함께 먹어야 하는 상황이 힘들게 느껴질 수 있다. 당연히 여기에는 무엇을 해 먹을지, 메뉴 걱정이 앞선다. 은퇴 후 가정에서 부부가 함께 보내는 시간이 늘어남으로 갈등과 스트레스도 증가한다.

남편이 퇴직하면 전업주부는 전일제 직장을 얻게 된 셈이라는 말이 있다. 맞벌이하다가 퇴직한 여성도 때로는 혼자만의 시간과 공간을 원한다. 유 교사는 퇴직 후 일주일에 한 번, 배우자를 떠나서 친구와 함께 요리를 배우러 가는 시간이 너무 행복하다고 하였다. '자신만의 시간'이라고 표현하였다. 남편을 사랑하고 존중하지만 때때로 혼자 있는 시간의 자유는 날개 단 듯이 가볍고 행복하다.

'자신만의 시간'은 남편에게도 필요하다. 아내와 함께 있다는 사실이 좋기도 하지만, 식사만 해결된다면 가끔은 아내의 외출이 반가울 때도 있다. 결혼하기 전 총각 때처럼. 서로 원하는 것이 있다면 서로 마음 상하지 않게 솔직히 이야기하기를 권한다.

다음 시는 2023년 8월호 '공무원연금지'에 실린 이용춘 님의 글이다. 설레던 아내와의 옛 만남을 기억하며 앞으로 남은 날들을 아쉽고 귀하게 생각한다.

당 신

수많은 인연 쌓고 쌓아
우연으로 만나 필연이 되어
미운 정 고운 정 쌓여
40년 살아온 지난날들.

조용히 돌아보니 어언 칠순
곱던 얼굴엔 깊은 주름 깊게 파이고
하얀 서리 당신의 머리 위에
사뿐히 가라앉았네.

종착지 모르는 남은 날들
아쉽고 안타깝지만
설레던 첫 만남을 기억하며
당신을 영원히 사랑하리라.

7. 실패해도 괜찮더라

어릴 때 듣던 말 중에 '실패는 성공의 어머니' 라는 말이 있다. 미국의 발명가인 에디슨이 한 말이라고 한다. 하지만 옛말일 뿐이다. 노력하면 무엇이든 이룰 수 있었던 시절 이야기. 실패 한번 하지 않고 성공하기가 쉽지 않을 테니 실패는 성공한 사람의 자랑거리인가!

요즈음은 '실패해도 괜찮다' 가 더 적절하다. '성공하지 못해도 괜찮다!' 다른 길이 있으니까.

나는 아이를 출산하고 작은 아이가 초등학교에 들어갈 때 유치원 교사가 되었다. 31년을 근무하고 퇴직하였는데 원장에 이르게 되기까지는 근무 기간이 너무 짧았나 보다. 원장 승진을 하지 못했다. 초·중·고등학교 급에선 '교장'이지만 유치원에서는 '원장'이다. 유치원도 초·중등과 같이 승진하기 위해 많이 노력한다.

꼭 승진 발령을 받을 것이라고 믿으며 기대하고 있었다. 원장 자격연수는 일찍이 받아놓은 상태였다. 그런데 웬걸? 인사발령명단을 아무리 찾아봐도 승진자 명단에 내 이름은 없었다. 늦게 교직에 들어온 만큼 재직기간 동안 남들 못지않게 노력하였다.

마음이 아팠다. 사실 너무 많이 아팠다. 아프다는 표현이 맞는지 모르겠다. 며칠 동안 잠을 자다가 벌떡벌떡 일어났다. 아예 잠을 못 잤다는 게 맞는 말일 것이다. 배신당한 기분이었다.

하염없이 마루에 놓여있는 입구 넓적한 항아리 속에 있는 물고기, 구피만 바라봤다. 스킨답서스를 수조 속에 담가 구피와 함께 키우고 있었다. 그 사이로 헤엄쳐 움직이는 구피를 하염없이 바라봤다. 평소에도 하던 일이지만....

남편이 말했다. "당신은 참 성격도 좋아. 나 같으면 미쳐버릴 거야." 위로다. 하지만 나도 미쳐버릴 것 같았다. 그런데 다람쥐 쳇바퀴 돌 듯, 하던 일은 해야 한다. 밥도 빨래도. 그리고 출근도. 지금 생각하면 그 일들이 나를 미치지 않게 잡아주었는지도 모른다.

나태주 시인은 그의 에세이에서 '날마다 최선을 다해 산다는 것이 얼마나 피곤하고 지긋지긋한 일이겠는가!' 라고 하며 다음과 같은 말을 하였다.

> 다른 사람을 이기고 자기 자신을 이기는 사람이 성공한 사람일까? 이제야 나는 그렇게 생각하지 않는다. 자기한테 자기가 슬그머니 져줄 줄도 아는 그런 사람이어야 스스로 충분히 반짝일 줄 아는 사람이 될 수 있다.

나는 자신에게 져준 것일까? 나는 스스로 충분히 반짝이는 사람일까? 스스로 선택할 수 없는 일이었기 때문에 슬그머니 져준 게 아니라 진 것이다. 그래도 나 스스로 반짝이는 사람이 되고 싶었다.

난생처음 심리상담을 받았다. 너무 아플 때는 상담을 받을 용기도 나지 않는다. 몇 달이 흘러 상처가 아물어갈 때쯤에야 상담실을 찾았다. 상담을 받는다고 해서 문제가 해결되는 것이 아니다. 하지만 상담실에서 나와, 집으로 향하는 발걸음과 마음이 모처럼 날아갈 것 같았다. 오래간만에 느낀 행복감이다!

사람들, 특히 우리나라 사람들은 승진을 못 하면 무엇을 빼앗긴 양 생각하는 경향이 있다고 한다. 승진은 원래 내 손에 없던 거다. 그래서 빼앗긴 게 없다. 단지 얻지 못한 것일 뿐이다. 시험에 떨어져도 패배감을 진하게 맛볼 이유가 없다. 원래 없던 거였으니까. 가지려고 노력했을 뿐이다.

누구나 승진을 바라는 것은 아니다. 성장기에 인간적 고뇌가 많았다고 한 이 교사는 학생을 위해 성실하게 살았고 승진은 하고 싶지 않았다고 했다. 교직으로 생활이 안정되어 걱정이 없었으며 푸른 자연이 좋았다고 말한다. 그는 지금도 아이처럼 순수함을 유지하고 있다.

민 교사도 승진에 뜻이 없었다. 젊은 시절에 다른 사람에 밀려서 할 수 없이 떠맡게 된 수업 실기와 교육자료전에서 우수한 성적을 거두었다. 민 교사는 승진에 유리한 조건들이 있었는데도 승진하고 싶은 마음은 없었다고 한다.

사람은 다 달라서 무엇이 옳고 그르다 할 수 없지만, 그때 나는 승진이 가장 크고 중요한 일이라고 생각했다. 하지만 퇴직하고 나서 되돌아보니 그만큼 큰일은 아니었다. 가만히 생각해 보니 승진하지 못한 사람은 나뿐만이 아닐 것이다. 경력이 짧았던 사람도 나뿐만이 아닐 것이다.

어떤 사람은 대기업이나 다른 직장에 다니다가 교직에 늦게 들어온 이유로 승진에 이르지 못했을 것이다. 또 누군가는 오히려 이른 승진으로 중임제에 걸렸을지도 모른다. 이럴 경우는 정년을 남겨놓고 조기 퇴직을 선택했을 수도 있다. 장학

관으로의 전직이나 공모학교 임용을 목표로 하였으나 마음대로 되지 않았을 수도 있다. 특수교육이나 보건교육, 영양교육 담당 교사에게 승진의 문은 너무 좁다. 교사의 수가 적은 것을 떠나 다른 이유나 어려운 조건들도 있었을 것이다. 마음 아픈 건 나뿐만이 아니다.

실패해도 괜찮다. 승진 못 해도 괜찮다. 남들보다 조금 일찍 퇴직해도 괜찮다. 아픈 상처는 시간이 가면서 아문다. 오히려 현직에서 이루지 못한 꿈은 퇴직하여 펼칠 에너지나 투지(鬪志)로 남아있을 수 있다. 60대, 아직은 젊다. 세상에서 원하는 바를 더 이루게 될 수도 있으니까. 아픔이 이타심으로 발전하여 성숙하고 지혜로운 노년기를 지낼 수 있을 테니까.

내가 다시 대학원에 들어가고 제2의 또 다른 전문직에 도전할 수 있게 된 에너지가 아픔에서 나온 것일지도 모른다. 실패해도 괜찮더라. 실패를 받아들이고 대처하는 태도가 중요하다. 스스로 마음을 추스르는 것도 중요하다.

인간사 새옹지마(塞翁之馬)다. 당장 맞이하는 불행이 진정한 불행이 아니다. '모든 것을 합하여 선을 이루시는….' 신약 로마서의 성경 구절이 생각난다. 하나님은 좋은 결과를 위하여 지금 어려운 과정을 만들어내신다. 믿음과 소망이다.

8. '나'라는 내 친구를 인정하고 안아주자

　체중을 받치면서 발을 땅에 지지하게 하는 장딴지 근육은 신체에서 가장 강력한 힘줄이다. 장딴지 근육은 아킬레스건이라고 하는데, 종아리 근육과 발뒤꿈치의 뼈를 연결하고 있다.
　'아킬레스건'이라고 하는 말은 예전부터 콤플렉스와 같이 심리적으로 치명적인 약점을 상징하기도 한다. 우리 안에 있는 이 심리적 아킬레스건을 일컬어 프로이트는 내면 아이라고 했다.
　내면 아이는 내 안에 있다. 그래서 '나'다. 그런데 나는 여기 있다. 그럼 내면 아이는 내 절친인가 보다. '나'라는 내 친구는 내 안에 있다. 내 안에 작은 아이가 있다. 그 아이는 몸속에 인형처럼 물리적으로 존재하거나 형상이 심상으로 존재하는 게 아니다. 출생 이후 부정적인 감정을 유발하는 경험에 노출된 경우, 성인기까지 지속하여 작용하는 눈에 보이지 않는 영향력이다. 불안, 분노, 고통, 슬픔, 죄의식 등이 억압된 감정으로 문제가 해결되지 않은 채 남아있어서 게슈탈트심리학에서는 '미해결 과제'라고도 한다.

회사에서 능력을 인정받거나 혹은 사람들과 잘 지내던 사람이 갑자기 상황에 맞지 않는 행동으로 주변 사람들과 자신의 관계를 불편하게 하는 일이 있다. 개인의 내면 아이가 발끈하여 겉으로 드러난 것이다. 사람은 과거에 상처받았던 기억으로, 이 부분이 건드려지는 순간 이성을 잃어버리거나 부정적 감정에 쌓이게 된다. 다른 사람에게는 무심한 자극일지라도 그 자극을 자신의 약점으로 느낄 경우, 부적절한 반응을 유발하는 도화선이 될 수 있다. 이때 인간관계에 문제가 생기거나 사회적 문제를 일으키게 된다. 자신이 가진 내면 아이를 알아내고 이해한다면 훨씬 편하게 사람들과 관계를 맺으며 살아갈 수 있다.

기질은 타고나는 것이므로 고치기 어렵다. 하지만 내면 아이는 기질이 아니고 성장 과정에서 생긴 상처일 뿐이다. 사람들이 가지고 있는 내면 아이에는 '성난, 질투하는, 의존적인, 열등감에 사로잡힌, 의심 많은, 잘난 체하는, 외로운' 등이 있다.

내 안에 상처가 있다 해도 다 지난 일이다. 그냥 살면 되지 괜스레 들추어서 다시 상처받을 필요가 있을까? 하지만 상처를 치료하지 않는다면 반복되는 고통을 막을 수 없다. 무시하고 살면서 시간이 흘러 저절로 사라지면 좋지만, 생활 중에 이따금 반복되는 문제가 있다면 다시 생각해 볼 일이다. 사회적으로 승진도 하고 부족함 없이 잘살아왔지만, 마음속에 치유되지 않은 상처가 있을 때 개인은 관계 속에서 잘 기능하기 힘들다. 그 상처는 반복해서 나타나기 때문이다. 이를 인정하고 받아들일 때 비로소 회복될 수 있다.

내면 아이는 어떻게 생겨나고 어떻게 알아내는가?

갓난아기는 거울을 통해 자기 얼굴을 보기 전에 엄마, 혹은 주 양육자의 얼굴을 먼저 보게 된다. 그리고 그 표정이나 모양을 자신으로 인식한다. 엄마가 행복한 표정을 지으면 아가는 행복하다. 아기는 다른 사람의 행동이나 생각을 무의식적으로 받아들인다. 이것을 내적 투사, 즉 내사라고 한다. 여기에서 아가의 자아존중감 높낮이가 결정된다.

내면 아이는 성장기에도 생겨난다. 감정의 많은 부분은 어릴 적 상처와 연결되어있다. 부적응을 촉발하는 상황이 무엇인지 알면 내면 아이가 만들어진 이유를 알 수 있다. 최광현(2021)은 내면 아이를 발견하기 위해서 자신이 대응할 수 없는 상황이나 마주하기 싫은 인물의 공통점을 탐색해 보라고 한다. 그리고 신체적 증상이 일어나는 순간이 언제인지, 어떤 상황에서인지, 누구 앞에서인지 등에 관해 상세한 리스트를 작성하는 것도 좋은 방법이라고 한다.

상담에서 심리치료 방법 중에 '내면 아이 치료'가 있다. 인간은 과거에 대한 집착에서 벗어나기 힘들다. 김현아(2023) 교수는 '내가 왕년에는 이러이러했는데.' 하는 자랑질은 인류의 만년 레퍼토리'라고 말한다. 자랑질도 그런데 상처는 어떠할까? 과거의 상처에 집착하면 남는 것은 분노와 원망뿐이라고 했다. '내면 아이 치료'는 우리에게 과거에 얽매이지 말고 현재를 살라고 제안한다. 내면의 상처는 과거에 생겨난 것이며 현재 생활에서 이따금 발현되는 것이다. 자신의 과거에 생긴 상처를 이해하고 안아준다면 생활이 자유롭고 편안할 것이다.

어떤 학자는 내면 아이는 없다고 말한다. 현재 자신의 모습을 사랑하고 씩씩하게 살아가라고 한다. 하지만 살아가면서 지속해서 유사한 문제가 생긴다면 왜 그런지 알아야 한다. 이유를 알고 상처를 인정하고 존중해 줄 때, 세상을 씩씩하게 살아갈 수 있다. 아픔과 약점을 이해하고 실체를 알아야 하는 이유다. 안아주고 인정하는 것이다.

성인이 변한다는 것은 쉬운 일이 아니다. 더욱이 마음속의 상처를 이해하는 과정은 힘들다. 용기가 필요하고 치료 과정에 고통이 있지만 스스로 절박함을 느끼고 어려움을 알아차리면 가능하다. 내면 아이를 이해하고 알아차리면 증상이 서서히 사라지는 경험을 할 수 있다.

상담은 내 안의 억눌린 마음을 표출하여 마음이 정화되는 기능이 있다. 내가 몰랐던 내 마음을 알게 되는 효과도 있다. 상담은 나로 인해 영향을 받는 가족을 이해하는 계기가 되기도 한다. 충격 속에 있을 때는 감히 도움을 청할 엄두조차 못 내지만, 용기 내어 상담을 받다 보면 알지 못했던 마음을 돌아보게 된다. 그 마음이 빚어낸 습관까지 알아내기도 한다. 과학과 의학이 고도로 발달한 현대를 사는 개인에게는 심리적 주치의가 필요하다.

상담은 대화 상대가 빈약한 노인에게 삶의 의미를 찾게 해줄 수 있다. 주 1회 상담사를 만나는 행위는 만나는 즐거움을 줄 수 있다. 남의 이야기를 듣고 이해하며 생각을 정리하여 이야기를 꺼내는 것만으로 치매 예방의 이점이 있을 것 같다. 나는 일전에 친정집을 방문한 딸에게 부탁했다. 우리 부부 중한 사람이 배우자 없이 홀로 세상에 남겨진다면, 그때는 정기적으로 상담을 받게 해 달라고. 지켜질지는 모르지만 그래도 유언 아닌 유언을 해놓았다.

당신은 스스로 자신을 사랑하는가? 내가 나를 사랑하지 않는다면 누가 나를 사랑하겠는가? 자신을 가장 사랑해야 할 사람은 바로 자신이다. 당신 자신은 사랑받을 가치가 있다. 나의 내면 아이, '나'라는 내 친구를 안아주고 인정하자.

Part E. 가보지 않은 길

- 노년의 지혜와 완성을 향하여 -

1. 노년 예찬

'곱게 물든 단풍은 봄꽃보다 아름답다.'

법륜 스님이 자주 하는 말이다. 봄꽃이 젊은이라면 단풍은
노인과 같다. 편안하게 늙어가면 나이 듦이 아름답다고 했다.

발달과 노화는 평생에 걸쳐 연속적으로 이루어진다. 인간의
발달은 성장과 성숙뿐 아니라 노화와 감퇴도 포함하는 개념
이다. 노화는 누구에게나 일어나며 나이가 들어갈수록 개인
간의 차이가 벌어지게 된다. 시간이 갈수록 사람마다 가진 다
양성이 증가하므로 노화는 이상 노화와 최적 노화로 나뉜다.

이상 노화는 질병으로 인한 변화다. 반면에 나이 들면서 따

라오는 부정적 변화를 예방하고 피해 가게 되면, 성공적 노화 즉 최적 노화를 맞이하게 된다. 성공적 노화는 생물·심리·사회적 영역의 기능 수준이 모두 높아 삶이 만족스럽고 환경 적응 수준이 높다. 성공 노화에 이른 사람은 질병이나 장애로부터 자유롭고, 높은 정서와 인지력을 가지고 있으며 사람들과의 상호작용이 활발하다.

액티브시니어(Active senior)라는 말이 있다. 활동적 노년이라고 말하고 '젊은이보다 더 젊게 사는 어른'이라고 한다. '과거의 불안정한 시기를 지나, 안정적이고 자유로운 심적, 육체적, 사회적 상태를 유지하는 중장년층'이라고 한다. 또 '은퇴 후에도 소비와 여가를 즐기며 사회활동에 적극적으로 참여하는 50~60대'를 말한다. 혹자는 '65세 이상 75세 이하의 사람들'을 이르기도 한다.

우리나라는 1차 베이비붐 세대인 1955년부터 1963년생이 활동적 노년 세대에 해당한다고 한다. 1차 베이비붐 세대는 이전 세대 보다 고학력자의 비중이 높고 외국 문물을 접하는 기회도 많은 집단이다.

이들은 젊은이들보다 비교적 경제적 여유가 있어서 소비에 적극적인 사람이 많다. 이에 따라 고령층이 필요로 하는 물건을 개발하여 시장에 내놓는 실버산업이 발달하고, 당연히 돈 많은 시니어를 대상으로 하는 시장이 활성화되고 있다.

활동적인 노년 세대는 적극적으로 문화 활동을 즐긴다. 트로트 열풍에 팬덤을 일으키는 사람들이 눈에 띈다. 스포츠 중에 라인 댄스나 아쿠아 에어로빅에 참여하는 사람은 노년층이 대부분이다. 일에 대한 열정도 있다. 우리 어릴 때 느꼈던 할아버지 할머니와는 세대 차이가 있다.

이 책을 읽는 독자인 선생님은 활동적 노년 세대, 액티브시니어일 가능성이 높다. 퇴직 후에 계속 일하고 싶고 운동과 외모에도 관심이 많다. 배움이든 소비든 자신에 투자하는 것이 아깝지 않다.

정 교사는 교장으로 퇴직 후 일 년 동안 영어 공부를 했다. 물론 처음부터 영어에 관심이 있고 어느 정도 실력이 있어야 가능하다. 배움만이랴? 일도 한다. 드디어 얼마 전에 초등학교 영어 전담 교사로 갔다. 퇴직하고 나서 목표를 가지고 준비해 온 것을 보면 그녀도 역시 액티브시니어다.

퇴직 생활에 빨리 적응하기 위해서는 재직할 때 누리던 자리나 수입 등 모든 것을 잊고 할아버지 할머니라고 생각해야 한다. 하지만 실상 마음속은 아직 할아버지, 할머니가 아니다. 굳이 이름 붙이자면 액티브시니어다. 활동적 노년 세대이다.

나이 든 사람들은 노년기까지 살아남을 수 있는 특별한 자질을 지니고 삶을 앗아갈 조건들을 이겨낸 사람들이다. 성공적으로 나이 든 노인은 무너진 신체 기능의 한계를 뛰어넘어 건강한 정신으로 즐거운 삶을 영위하는 특징이 있다.

나는 이따금 예식장에 갈 일이 생기면 지하철을 탄다. 승차칸에 경로석이 있다. 나는 노인이지만 경로석을 이용하지 않는다. 남들이 일어나라고 할 것 같아 눈치가 보인다. 나 스스로 아직 젊다고 생각하는 것이다. 동의할지 모르겠지만 내 생각에 80살은 되어야 노인이다.

칼 필레머(Karl Pillemer)는 노인을 '현자(賢者)'라고 하였다. 어질고 총명하여 성인에 견줄 만한 사람이라는 뜻이다. 노인은 초월적인 지혜와 통찰력을 지니고 있으며 실패, 질병, 위험, 상실 등 온갖 어려운 경험을 해냈기 때문이라고 했다. 어쩌면 나이가 든다는 것은 더 나은 삶의 방법을 찾을 열쇠를 손에 쥔다는 것일지도 모른다고 했다.

우리 선생님들은 정년퇴직이 다가왔는데, 혹은 이미 퇴직하였는데, 이 나이까지 살아냈다. 성공적으로 나이 들었다. 성공적 노화다.

그뿐이랴! 우리 독자들은 전쟁 후 어려웠던 나라를 일으키기 위해 차세대 양성이 중요함을 알고 교육에 몸담아 아동과 청년을 위해 매진했다. 그들을 가르치느라 평생을 보냈다. 물론 교육자뿐만이 아니다. 자식 교육을 성공의 길이라고 생각하여 재산인 소를 팔아가며 적극적으로 자녀의 미래를 위해 교육시킨 부모들이 있다. 또 잘 살기 위해, 부강한 나라가 되기 위해 산업현장에서 밤낮없이 일했다. 그 덕분에 대한민국이 월등히 잘 사는 나라로 발돋움했다. 지금 노년을 맞이한 어르신들의 힘이다. 어찌 칭찬하지 않으리!

노인은 나이가 들어가면서 중요한 것이 무엇이고 기억해야할 내용이 어떤 것인지 분별을 잘한다. 선택적 기억이라 할까? 가치지향이다. 노인은 신체 능력 저하에 따른 행동의 제약, 자율성과 주도성의 상실 등을 경험하면서도 제한된 조건과 상황에서 즐거움을 찾고 있다. 체력이 줄고 쇠약해지면서도 지혜와 분별력이 더 향상된다. 노인은 젊은이보다 기억과관련하여 문제가 더 많은데도 불구하고 선택적 기억에 능숙하다고 한다. 세밀한 것을 기억하는 것보다 전체적인 의미를파악하는 것이 더 능숙하다. 통찰력이나 메타인지가 뛰어나기때문이라는 의견도 있다.

젊었을 때는 많은 것을 잘 외웠다. '태정태세문단세....', '수헬리베붕탄질산플네나마', 거슬러 올라가서는 '우리는민족중흥의 역사적 사명을 띠고....' 등. 아이 둘을 출산하고서른 살이 넘어 뒤늦게 공부를 시작하려는데, 절대 외워지지않았다. 내용은 이해가 가는데 기억이 안 된다. 책을 읽고 한장 넘기면 앞에서 읽은 내용이 무엇인지 연결이 안 되었다.

젊은 교사 시절에는 학년이 바뀌고 새 아이들이 들어오면

마흔 명이나 되는 학생 이름을 하루에 다 외웠다. 한두 명만 이틀째 되는 날 파악하면 되었다. 그러나 교직 후반기에는 서른 명 이름 외우기에 일주일이 걸린 기억이 있다.

하지만 나이가 들면서 이해의 폭이 넓어졌다. 세상을 살아내며 경험한 일들로 인해 통찰력이 향상되었다.

사회 정서적 선택이론이 있다. 사람은 나이 들면서 긍정적인 것에 더 집중한다는 이론이다. Laura Carstensen(로라 카스텐슨) 교수는 노인은 대인관계가 좁아지는 데 반해 오히려 행복해한다고 했다. 노인은 남은 삶이 얼마 남지 않았다는 것을 알고 긍정적인 것에 주의를 기울이는 데에 심적 자원을 더 사용한다. 노년의 사회생활은 정서적 우선순위에 변화를 준다.

하지만 모든 노인이 행복할까? 행복 뒤에 가려진 노인의 정서로 슬픔, 분노, 후회 등이 있다. 그들은 외로움, 무력감, 불안감을 느끼며 우울증으로 고생하기도 한다. 이들은 여전히 과거에 매여있으며 노화의 흔적을 지우고 얼마간은 젊어지고 싶어 한다. 이들에게는 삶의 의미를 재부여하고 긍정적 태도를 지닐 수 있도록 돕는 상담이 필요하다.

사람은 현재의 자신보다 십 년쯤 지난 후에야 노인이 된다고 생각한다. 그래서 노인이 되지 않는다. 정년퇴직을 앞두고 있거나 갓 퇴직을 맞이한 사람들도 당연히 그럴 것이다. 나이는 숫자일 뿐, 주관적이어서 개인은 늘 젊다. 노인은 육체적으로 힘이 없어지지만, 지혜와 정신적 가치는 건재하다.

다음은 성호 이익이 말한 '노인의 열 가지 좌절'과 다산 정약용이 말한 '노인에게 유쾌한 일, 여섯 가지'이다.

대낮에는 꾸벅꾸벅 졸음이 오고 밤에는 잠이 오지 않으며, 곡(哭)할 때는 눈물이 없고, 웃을 때는 눈물이 흐르며, 30년 전 일은 모두 기억되어도 눈앞의 일은 문득 잊어버리고, 고기를 먹으면 뱃속에 들어가는 것 없이 모두 이빨 사이에 끼며, 흰 얼굴은 검어지고 검은 머리는 도리어 희어진다.

첫째, 대머리가 돼 머리를 감거나 빗질해야 하는 번거로움이 없는 것. 둘째, 이가 모두 빠져 치통이 사라진 것. 셋째, 눈이 어두워 책을 보거나 학문연구를 하지 않아도 되는 것. 넷째, 귀가 먹어 세상의 온갖 소리를 듣지 않아도 되는 것. 다섯째, 마음 내키는 대로 미친 듯 시를 쓰는 것. 여섯째, 때로 벗들과 바둑을 두는 것.

이익의 말이 어쩜 이리도 노인의 증상을 잘 나타냈는지 놀랍다. 늙어본 사람이라면 감탄할 일이다. 노인의 실상이 그러하더라도 자연스러운 노화를 정약용처럼 긍정적으로 바라보며 수용할 수도 있다.

누구나 타고난 기질을 좋게 바꿀 수는 없지만, 그 기질을

알고 수용할 수 있을 때 자신만의 고유하고도 아름다운 모습
이 된다. 누구나 나이 드는 것을 막을 수는 없지만, 자연스럽
게 받아들일 때 노년의 아름다운 모습이 되지 않을까!

　우리는 나이 듦을 긍정적인 태도로 대함으로써 성공적인
노년기를 보낼 수 있다.

2. 자연에 순응하는 삶

우리 집에서 멀지 않은 곳에 작은 복숭아밭이 있다. 봄이 되면 화려한 분홍색의 복숭아꽃이 나뭇가지마다 빼곡히 핀다. 진분홍색 복숭아꽃이 지고 나면 그 자리에 작은 열매들이 조롱조롱 매달린다. 그렇게 예뻤던 꽃송이 수만큼 많은 꼬마 열매다. 이 열매를 따서 솎아주어야 하는데, 우리 집의 농부 남편이 그 일을 게을리하였다.

그 때문에 어느 해인가 손질하지 않아 제멋대로 욕심껏 매달린 복숭아 나뭇가지가 꺾여있는 모습을 보았다. 처음에는 누군가 밭에 들어와서 가지에 올라 복숭아를 딴 줄 알았다. 며칠 동안 살펴보니, 나무가 열매 무게에 못 이기어 아주 커다란 가지가 반쯤 찢어져 꺾인 것이었다. 실상은 사람이 과일 수를 조정하고 따 버렸어야 했는데 게으른 농부들이 자기의 할 일을 못 했던 것이니 나와 남편 탓이었다.

또한 자연 앞에 한없이 나약한 게 인간이다. 폭설에 무게를 못 이기어 꺾인 나뭇가지를 본 적이 있다. 자연은 욕심을 거두도록 설계되어 있나 보다. 인간도 자연의 일부일 터이니 욕심을 내면 안 될 것 같다.

요즈음 쏟아져 내린 폭우로 인명피해가 크다. 인재라는 말을 심심치 않게 듣지만, 자연의 힘은 위대하여 인간이 쉬이 다룰 수가 없다. 산이 무너져 내리고 물이 마을과 밭으로 넘쳐흘렀다. 자연은 인간에게는 때로 힘겹지만, 스스로는 질서를 유지하기 위해 무엇인가 역할을 하는 것 같다.

겸허한 마음으로 노년을 맞이해야 할 이유는 자연이 가르쳐 준다. 마치 어릴 적 '전과(全科)'가 지식을 가르쳐 주었듯이 말이다. 내 기억 속의 '전과'는 다음 국어사전에 '초등학교의 전 과목에 걸친 학습 참고서'라고 되어있다. 어릴 때 '전과'를 처음 접했을 때의 놀라움이 생각난다. 동아 전과, 표준 전과 같은 참고서였다. 학교에서 선생님이 내준 숙제에 낱말 뜻이나 비슷한 말, 반대말을 찾아 써 가는 국어 숙제가 있었다. 저녁이면 공책을 펼쳐놓고 엄마, 아빠에게 물어보며 적어 갔다. 시간이 오래 걸렸다. 그런데 어느 날 전과라

는 것을 발견하고 어찌나 신기했는지 모른다. 그 안에 답이
다 있었다. 이제 노년의 참고서는 자연이다.

나는 지금 책을 쓰면서 이 일이 끝나고 나서 할 일을 계획
하고 있다. 나도 모르게 미래를 생각하는 것이다. 늘 그렇게
살아왔다. 그러나 90살이 넘도록 나이가 들고 질병에 시달렸
던 사람은 현재 생활에서 자연을 음미하고 아주 작은 것들에
감사하라고 말한다. 일상에서 순간의 작은 기쁨들을 즐기기
위해 노력해야 한다. 창밖을 보거나 주변에서 보이는 것, 자
연의 소리를 들을 수 있음에 아름다움과 감사함을 느끼자. 세
상에 순응하고 감사하는 마음을 가지면 세상은 온통 아름답
다. 아침에 뜨는 햇살을 보면 오늘 살아 숨 쉬는 내가 기특하
고 또 행복하다.

자연을 닮으려는 마음이 삶의 지혜가 된다. 일이 가로막힐
때 잠시 멈추어 서서 생각해 보는 것도 필요하다. 과일이 익
을 때를 기다리듯이 때를 기다리며 무리하지 않아야 한다.

나이 들어가며 쳐져서 내려앉는 눈꺼풀과 볼살을 본다. 젊
었을 때 양쪽 코를 중심으로 있던 팔자 주름이, 눈과 입꼬리
를 중심으로 각각 한 쌍씩 더 생겼다. 입가에 생긴 주름은 웃
음을 지어 잠시 감춰 보지만 나머지는 어찌할 수가 없다.

거울 앞에서 두 손을 모으고 손가락을 펴서 얼굴에 대고
처진 볼살과 광대와 옆 이마를 감싸 위로 올려본다. 조금 젊

어 보이는 것 같다. 자연을 거스르고 싶다. 무엇이 답인지 지금도 헷갈린다.

욕심내지 말고 마음을 비우며 자연에 순응해서 사는 것이 건강한 삶이 아닐까? 남의 손을 빌려 몸을 추스르는 기간이 길지 않으려면 자연에 순응하는 삶이 필요하다고 한다.

사람은 태어나서 죽을 때까지 한순간도 자연을 벗어나서 살 수 없다. 게다가 자연을 훼손해 가며 얻은 편리함은 오래가지 못한다. 갈수록 더워지는 지구 온난화 현상이 말해주고 있다. 자연을 거슬려서 이룬 문명이 대가를 요구하는 것 같다. 그러니 자연과 함께하려면 불편함을 감내할 필요가 있다.

'순리대로 산다'는 말이 있다. 욕심을 내려놓고 물 흘러가듯 편안한 마음으로 산다는 것이다. 결정이 필요한 일이 있거나 다른 사람과 관계된 일이 있을 때 순리대로 하려는 마음가짐이 내 마음을 편하게 한다. 내게 그러한 경험이 있었다. 시간이 해결해 주었고 오히려 더 좋은 결과가 있었다.

이미 퇴직하였거나 퇴직을 앞둔 지금부터는 경쟁하여 최고가 되기보다는 여유를 가지고 많은 것을 즐기고 느낄 때이다.

식물에 비유하자면 우리는 이미 아름다운 꽃 한 송이 피워냈다. 젊은 시절, 꽃을 피우는 능력을 당연한 것으로 받아들였고 충분히 누렸다.

이제 열매를 맺고 씨앗을 담았다. 화려한 꽃을 피워 곤충의 이목을 끌기에는 이미 세월이 지나가 버렸다. 이제는 나이 들었음을 이해하고 젊은 날의 자신에게 박수를 보내자. 변화를 받아들이고 경쟁과 긴장에서부터 자유로워지자. 정신적, 신체적인 능력 저하를 긍정적으로 받아들이자. 누구와 경쟁하거나 남에게 보여 주기보다 나 스스로 가지고 있는 내면에 만족하자. 꽃은 시들어도 열매와 씨앗의 가치는 그대로 남아있다.

3. 처절한 외로움을 맞이할 각오

    교사의 초임 시절은 행정업무도 힘들고 수업 준비도 힘들지만, 담임의 눈을 바라보며 시시각각 무엇인가 기대하는 아이들이 있어서 좋았다. 그렇게 시작된 교직의 삶은 교감을 거쳐 교장이 되면 비로소 혼자만의 공간에 갇히게 된다. 이름하여 '교장실' 또는 '원장실' 이다.

    외로움의 시작이면서 외로움에 견디는 연습을 하게 하는 조직의 시스템이 아닐까 싶다. 의도된 시스템이 아니라 노년의 적응기제를 미리 마련하는 것일지도 모른다. 위대한 인간의 통찰이랄까?

    퇴직하고 나면 교사도 동료도 나의 주변에서 사라진다.

30~40년의 오랜 생활에서 온 기억이 지속되겠지만, 바로 얼마 전의 추억일 뿐이다. 퇴직과 동시에 흩어지고 마는 관계다.

'Out of sight, Out of mind!' 직장 사람들과 어울려 함께 하던 운동은 혼자 산에 가는 것으로 자연스레 바뀌게 된다.

> 전에는 테니스를 많이 쳤는데 이제는 뭐 테니스 칠 사람도 없고, 테니스장도 없고. 테니스 치러 오라고 그러는데 너무…… 여기서 ◇◇(옛 근무지)까지 가야 되는데 너무 멀어요. 그리고 매일 집에만 있으니까. 이제 탈출구가 혼자 산에 가는 거예요.

> 퇴직 전에는 교사들하고 관계 속에서 있었잖아요. 근데, 그 관계가 일로 만난 관계잖아요. 그런데 일을 안 하니까 저절로 그건 다 떨어져 버리고.

100세 시대는 누구나 할 것 없이 외로움과 친해져야 하는 시대이다. 그렇더라도 외롭지 않기 위해서, 또 사회에 혼자 고립되지 않기 위해서, 활발하게 움직이면서 여러 사람과 관계를 소홀히 하지 않아야 한다. 젊은 사람들을 만나는 기회를 만들고 지갑을 열어 보리밥이라도 사며 최대한 외로움을 늦추는 노력이 있어야 한다.

재직 중에 함께 근무하던 같은 학년으로 맺어진 모임이 있을 것이다. 마음이 맞아 십 년 이상 지속되기도 한다. 이렇게 맺어진 각 모임을 귀하게 여기고 참석을 게을리하지 말아야 한다. 이 모임에는 나이 차이가 있어서 퇴직 후에 젊은 사람들과 함께하는 좋은 기회가 된다.

젊은이에게 배울 수 있는 것들이 아주 많다. 그들의 이야기에서 느끼게 되는 젊은 감각이나 재치는 놀라울 때가 있다. 아직 재직 중이라면 없던 모임도 만들어야 할 판이다.

누군가 모임을 제안하면 무조건 참석해야 한다. 귀찮아서, 세수도 안 했는데, 너무 추워서, 좀 멀다. 핑계 삼아 한두 번 빠지다 보면 점점 고립된다.

지방자치단체별로 노인복지관이나 복지센터가 있다. 이곳에는 여러 가지 프로그램이 있어서 지적 호기심을 채울 수 있다. 새로운 사람들을 만나 대화를 나눌 수 있는 것은 그중 가장 큰 매력이다.

주변 식당에 가보면 낮에 식사 모임이 있는 것을 볼 수 있다. 여성들이 대부분이다. 여성이 풍부한 관계망을 가지고 있어서 활발한 사회활동을 하는 것이다. 퇴직도 하였으니, 남성으로 이루어진 정기적인 모임은 어떠한가? 모두 녹색 손수건을 한 장씩 준비하고 이름하여 '초록의 힐링', 24학년도 퇴직 교장으로 이루어진 '이사장' 등. 한 달에 한 번씩 남성들끼리의 우정을 쌓고, 건강도 쌓고, 아내의 식사 준비도 덜어주는 모임은 어떠한가! 정기적인 사교모임은 면역체계를 강화하여 감기 예방에도 좋다고 한다.

동창회나 일부 모임이 활발하게 유지되더라도 세월에 밀려 한두 명씩 떠나가게 된다. 잘 살아왔는데 자연스레 친구가 없어진다. 그래서 동년배보다 후배나 젊은 친구들과 애써 어울려야 하는지도 모르겠다. 그러나 나이 들었다고 대접받으려 하면 함께 어울릴 수가 없다. 퇴직하였는데 '교장은 언제 적 교장이냐?', '과장은 언제 적 과장이냐?' 이렇게 반응이 올 수도 있기 때문이다. 함께 나이 들어가면서 교장 선생님이나 과장님을 더 이상 모시고 싶지 않다. 퇴직은 재직의 연장선이 아니고 새로운 출발점이다.

퇴직 이후에 학생 지도나 학교 운영에서 떨어져 나온 시간의 여유가 자식에게 더 가게 된다. 관심이 출가한 자녀와 손자녀들에게 향한다. 전화도 없고 집에 오지도 않는 것 같아 서운하기도 하고 혼자 외롭다. 외롭지 않으려면 먼저 상대에 대해 관심과 애정을 가지라고 한다. 궁금하면 전화하여 "잘 있냐? 그냥 걸었어.", "네가 있어 참 좋다" 하고 몇 마디 듣고 나서 끊으면 된다. '바쁘지 않을까?' '전화로 부담 주는 것은 아닐까?' 하고 망설이지 말자. 안 받으면 내일 한 번 더 하면 된다. 그 짧은 전화를 누가 탓하랴? 서운함이나 외로움보다 그편이 나을 테니까.

외로움을 없애기 위해서는 다른 사람에게 관심을 가지고

먼저 다가가 보자. 남이 먼저 다가오기를 바라면 더 외로워질 뿐이다. 자신이 포함된 단체 사진을 보면 그중에서 누구에게 가장 먼저 시선이 가는가? 누구에게 시선이 가장 오래 머무르는가? 자신에게서 눈을 떼고 남들에게 관심을 가져보자. 남의 관심을 끌려고 하기보다 그편이 쉬울 것이다.

시선을 주변으로 돌려보자. 그곳에는 따뜻한 시선과 대화를 기다리는 외로운 사람이 있는지 모른다. 내가 먼저 미소를 지으며 다가가 보자. 돈이 들지도 않고 수고가 드는 것도 아니고 행복이 오는 길이다. 외로움은 혼자 있어서가 아니라 마음의 문을 닫아서라고 한다.

안간힘을 써도 시간이 지나면서 어쩔 수 없이 맞이하게 되는 것이 외로움이다. 차라리 맞이할 각오를 해두어야 좀 덜 힘들지 않을까! 외롭지 않은 삶을 살기 위해 외로움을 견딜 힘이 필요하다. 정서적인 성숙이다.

미국 휴스턴 대학교 교수인 BrenéBrown(브레네 브라운)은 어린 시절에 어디에도 속하지 못하고, 가정에서조차 늘 혼자였다는 느낌으로 성장하였다. 후에 그녀는 어린 시절 자신의 상처와 마주하며 진정한 소속감에 대하여 탐색하였다.

그녀는 진정한 소속감을 '자신을 믿고 자신에게 속함으로써 자신을 세상과 함께 나누고, 홀로 서는 정신적 체험'이라고 길게 말하였다. 진정한 소속감은 어디에나 속하고 동시에 어디에도 속하지 않는다는 깨달음이 아닐까 싶다.

논어의 '不患人之不知己 患不知人也(불환인지부지기 환부지인야)'는 남이 나를 알아주지 않음을 걱정하지 말고 내가 남을 알지 못함을 걱정하라는 말이다.

나이 들어가면서 외로워져야 인생이 완성되는 것인가 보다. 사람은 태어날 때도, 죽음을 맞이할 때도 혼자다. 예외도 있겠지만 근본은 혼자다. 배우자와 동시에 세상을 떠날 수 없으니 어차피 혼자 남아 외롭게 된다.

다행스럽게도 외로움을 덜어주는 대상은 사람만이 아니라고 한다. 반려동물이나 반려 식물 등, 자연과 마음으로 나누는 유대감도 외로움을 달래줄 수 있다. '애완 돌'이라는 게 있다. "심심했니?" "나 오늘 슬퍼" 등 감정을 나누면서 이야기한다니 외로움을 달래 줄 만하다. 대상이 생물이든 무생물이든 어떤 존재와 이어져 있고, 보살핌을 주고받는다고 느낀다면 외로움이 덜어질 수 있을 것 같다. 자연을 관찰하며 사회와 소통하기 위해 자연과 타인에게 관심을 가져보자.

불자들은 산중에서 자연을 바라보고 자연의 소리를 듣고 집중하면서 외로움을 달랜다고 한다. 상담에서는 필요할 때 내담자에게 '마음 챙김 명상'을 추천한다. 마음 챙김이 불교에 뿌리를 두고 있다니 그럴만하다.

'마음 챙김 명상'은 몸의 긴장을 풀고 아무 판단도 하지 않으며 호흡과 몸으로 느껴지는 모든 감각을 느끼면서 '지금 이 순간'에 집중하게 한다. 그리하여 마음을 가라앉히고 집중력을 높인다. 또 스트레스 완화와 우울증 치료 등에도 효과가 있어, 건강한 마음을 기르도록 한다.

나는 이따금 죽음을 생각한다.

오죽 아프면 죽기까지 하겠느냐고.

외로움도 생각해 본다.

외롭지 않고 어떻게 혼자 죽겠냐고.

4. 상실과 후회

세월이 많은 것을 앗아갔다. 돌아보니 아쉬움과 후회도 있다. 무엇을 자꾸 잃는다. 퇴직 직후에 느꼈던 정서적 상실과는 다르다. 나이가 들어가면서 이전에 가졌던 것들을 하나씩 잃어간다.

우선 퇴직하면서 직업을 잃었다. 급여도 줄었지만, 문제는 갈 곳을 잃은 거다. 건강도 잃는다. 한창 일하던 젊은 시절에는 감기도 안 걸렸다. 주말에 몸살 기운이 있어도 월요일 아침이면 거뜬히 일어나 학교로 갔다. 건강보험료는 급여에서 지출되는 기부금 정도로 느꼈다. 그러나 이제는 옛말이 되었다. 건강을 잃어간다. 고지혈에 고혈압은 친구를 만나면 심심치 않게 듣는 말이다. 당뇨가 없으면 다행이다. 이따금 큰 병에 걸리기도 한다. 질병으로 입원하고 보니 건강보험료의 위력이 느껴지기도 한다.

아름답고 잘생긴 외모도 잃는다. 어느덧 주름이 생기고 볼이 꺼진다. 꺼지고 처진 얼굴 살을 되돌리고 싶어 안간힘을 써 본다. 누군가는 오히려 늘어난 볼살이 손에 잡혀 우리의 정다운 옛친구 고바우 영감을 생각하게 한다. '그래도 왕년에는....'이라고 말하고 싶다.

그뿐이랴. 친구를 잃는다. 이따금 동창이 세상을 떠났다는 소식도 들려온다. 그래도 아직 가족이 건강하니 다행이다.

나이가 들면 무엇을 후회하게 될까? 누구나 크고 작은 후회를 하면서 산다.

자신이 조만간 죽을지 모른다는 생각을 종종 하면서 살아온 사람은 후회가 비교적 적다고 한다. 오늘이 삶의 마지막 날인 것처럼 살았을 테니 그럴 수 있겠다.

일본의 호스피스 의사인 오자와 다케토시(小澤竹俊)는 후회하지 않기 위한 조건들을 이야기했다. 나이에 상관없이 새로운 도전을 할 것과, 소중한 사람과 가족에게 애정을 표현하고 오늘 하루를 소중하게 보낼 것 등이다.

잘못한 행동에 대해 아쉬움이 남겠지만, 살면서 하지 못 한 일에 대한 후회도 있을 수 있다. 인생은 짧은 시간에 지나간다. 여름방학과 겨울방학이 순식간에 지나가 버리는 것처럼.

살면서 꼭 하고 싶은 일이 있다면 그것이 무엇인지 마음의 소리에 귀 기울여 보자. 누군가의 눈치만 살피다가 죽을 때 후회하지 않도록. 사람이 죽음 앞에서 마지막으로 하는 후회는 못 이룬 꿈이 아니라, 꿈을 위해 시도조차 하지 않았거나 최선을 다하지 않은 자신의 모습이라고 한다.

'껄껄껄' 이라는 말을 들은 적이 있다. 죽을 때 하는 후회를 담은 말이다. 재미있게 살걸, 사랑하고 살걸, 베풀고 살걸, 등이다. 무엇이든지 덧붙여 만들 수 있는 재미있는 말이다.

우리는 오 육십 년 이상 한 여성 또는 남성으로, 주부로, 가장으로, 어머니로, 아버지로 제 역할을 하며 성실하게 살아냈다. 성실하게 살아온 삶의 태도가 오히려 삶에 훼방꾼이 되어있는지도 모른다. 보이지 않고 느끼지 못한 채, 족쇄를 스스로 지니고 있을지도 모른다. 이제는 족쇄를 풀자. 직장도 풀렸다. 하고 싶은 일을 해보자.

나는 정년퇴직을 하고 대학원에 입학했다. 입학하기 전에 무척이나 많이 망설였다. 나이가 들었다. 남편은 나보다 다섯 살이나 더 나이가 많다. 일흔에 육박하는 내 나이가 건강을 보장하기 힘들 것 같았다. 대학원 과정이 끝나는 3년 동안 부부 중, 한 사람이라도 건강에 문제가 생기면 시작은 아무 소용이 없다. 3년이 꽤 길게 부담으로 다가왔다. 게다가 돈이 많이 든다. 무엇 한 가지를 포기해야 할 만큼 나에게는 큰돈이다. 그 망설임을 끝내고 공부하기로 선택한 결단은 어디서 나왔는지 지금도 알 수 없다.

그러나 하고 싶었다. 너무 무모한가? 그렇지만 졸업했다. 3년 6개월 동안 소논문 두 개와 학위논문을 썼다. 세월의 시계를 볼 줄 알기에 부지런 떨었다. '살아갈 날이 길지 않으니 빨리 졸업해야 한다' 라고 지도교수에게 떼도 썼다. 과정이 어렵다 해도 퇴직하여 일이 없으니 충분히 따라갈 수 있었다.

상담센터도 열었다. 상담센터는 돈이 되지 않는다. 초기 비용도 들어갔다. 지출되는 월세가 만만치 않다. 그래도 하고 싶었다. 내가 하는 일이 누군가를 도울 수 있다는 의미가 내 행동을 이끌었다. 그리고 지금 즐겁다. 죽음 앞에서 후회 하나가 줄었다.

죽음을 앞에 두고 후회하지 않도록 이제라도 하고 싶은 일을 떠올려보자. 하고 싶은 일이 있으면 실행해보자. 자유를 만끽해 보자. 당신은 원래 자유다.

5. 삶을 내려놓을 때

퇴직한 선생님들에게 죽음에 대해 어떻게 생각하며, 어떤 준비를 하고 있는지 질문할 기회가 있었다. 대부분이 아직은 죽음을 생각하기에 이른 나이라고 했다. 그렇다. 아직은 젊어서 죽음에 대한 실감이 안 난다. 생각하자니 조금 두렵다. 걱정된다. 나 없으면 우리 남편은 어떻게 살지? 숨을 못 쉬게 되면 얼마나 답답할까? 죽을 때 옆에 아무도 없으면 어떡하나? 천국은 정말 있을까? 뻣뻣한 삼베옷을 입으면 피부가 아플 텐데.

이근후 박사의 이야기로 기억한다. 그는 큰 수술을 앞두고 엄청 불안했다. 그리고 잠시 후 생각해냈다. 많은 사람이 자는 듯이 죽고 싶다고 말한다. 고통 없이 죽겠다는 말인가 보다. 그렇다면 수술을 앞두고 마취를 할 것이고 그래서 아프지 않고 잠을 잘 것이다. 수술하는 중에 잘못되더라도 어차피 자는 듯이 죽게 되는 것이니 그게 잘 죽는 것이 아닐까? 그는 그렇게 수술을 앞두고 죽음에 대한 불안감을 없앴다고 한다. 죽음에 대한 불안감도 마음먹기에 달렸나 보다.

'구구 팔팔 이삼 사', 고 황수관 박사가 말했던가. 아흔 아홉 살까지 팔팔하게 살다가 이삼일만 앓다 죽는 것이 바램이라고. 또 어떤 사람들은 저녁 식사를 잘 마치고 자는 듯이 죽고 싶다고 한다. 어떤 이는 암의 발병으로 시한부 인생으로 사는 것이 가장 좋은 죽음이라고도 말한다.

좋은 죽음은 죽어가는 사람이 자신의 운명을 받아들이는 것을 전제로 한다. 좋은 죽음은 가족과 친구, 그리고 삶을 되돌아볼 기회가 있는 것이다. 아직 미지의 영역인 죽음에 대해 나이 든 건강한 노인들은 '색다른 모험'으로 생각한다고 한다. 생각에 호기심이 엿보인다.

결국은 누구나 삶을 떠나보낸다. 죽음은 삶과 따로 떨어져 있는 것이 아니라 삶의 일부라고 볼 수 있다. 개인심리학의 창시자인 Adler는 인생은 끝이라는 게 있지만 살만한 가치가 있는 것으로 '충분히 길다'고 한다. 하지만 나이가 들어갈수록 인생은 짧게 느껴진다. 그래서 시간은 길고 인생은 짧다.

죽음은 삶이 마지막으로 완결되는 단계다. 생명의 탄생이 중요하듯 삶이 완결되는 순간도 중요하다. 죽음은 한발 한발 다가온다. 고장 난 시계는 멈추어 서더라도 세월은 가기를 멈추지 않으니 하는 수 없이 받아들이기는 해야겠다.

얼마 전 병원에 입원했을 때 병원을 찾는 여러 환자를 볼 수 있었다. 그들을 보며 세월이 흘러 자리에 눕는 날이 반드시 올 것을 예측할 수 있었다. 결국은 나에게도 그날이 올 거라고.

노인이 노인을 돌보는 노-노 봉사활동을 보게 된다. 나도 몇 해 전에 혼자 사는 노인들의 집을 방문하며 그들의 요구 사항과 안녕을 살피는 일을 했다. 그 일은 내게 많은 깨달음을 주었다. 그중에서 결국 부부 중 한 사람은 독거노인이 될 것이고 생의 마지막은 나도 이 노인과 다를 게 없다는 것이다.

인생 2막을 사는 퇴직자들을 보게 된다. 색소폰을 불고, 악기 공연으로 봉사를 다니고, 그림 전시회도 한다. 시니어 모델도 하고, 멋진 옷을 입고 마술을 부리며, 중창단을 결성해 노래한다. 취업하여 보람 있게 사는 모습도 볼 수 있다.

그러하더라도 결국은 독거노인이 될 가능성이 50%다. 내가 되든 배우자가 되든 한 사람은 먼저 세상을 떠날 테니까. 그리고 마침내 죽음 앞에 마주하게 될 것이다.

비참해진다고 말하거나 열심히 사는 모습을 비하하려는 게 아니다. 이 사실을 알고 받아들여야 하기 때문이다. 죽음이 보편적이라는 사실을 받아들이고 삶을 보람 있게 살았다고 느끼는 것이 중요하다. '현재를 즐기라'는 말과 함께 '죽음을 기억하라'는 말이 있다.

언젠가 죽을지도 모른다는, 언젠가 죽게 된다는 생각은 상실의 두려움에서 벗어나게 해준다고 한다. 죽음을 미리 생각해 보는 것이 삶을 더 달콤하게 해준다는 말이 있다. 유호종 교수는 죽음에 대한 두려움은 적극적인 탐구를 통해 어느 정도 극복할 수 있으므로 죽음을 정확히 알아야 한다고 했다. 그러나 우리는 늘 이 사실을 잊고 산다.

더구나 아직 가보지 않은 길은 두렵다. 두려움은 잘 알지 못하기 때문이다. 익숙하지 않은 일은 시작하기 두렵고, 어두운 밤길이 무섭다. 낯선 사람도 두렵다. 내가 이 책에서 'Part E'의 '가보지 않은 길'에 대한 글을 쓰는 지금도 두렵다. 가보지 않은 길에 대해서 독자에게 도움 되는 통찰을 보여 줄 수 있을지 확신이 서지 않아서 생기는 두려움이다.

이미 퇴직한 선생님들은 죽음을 생각하게 되면서, 그동안 많이 누렸으므로 욕심을 내려놓으려 한다고 했다. 남에게 도움을 주어야 한다는 생각도 한다. 남성 퇴직자의 경우는 가족을 떠올리며 책임지려는 마음가짐을 드러냈다.

삶을 내려놓는다는 것은 젊었을 때처럼 적극적인 삶을 위해 뭔가 더 하기보다 욕심을 비우기이다. 또 삶을 마음대로할 수 있다는 통제감을 포기하는 것이다. 다른 사람의 삶에관심 가지고, 사랑하며 용서하는 것이 의미 있는 노화다.

예전의 장례식은 엄숙했다. 망자가 요절했을 경우는 더 슬프다. 하지만 요즈음에는 장례식장에 가면 비교적 길어진 수명 탓인지 슬픔이 덜한 느낌을 받는다.

우리는 직장생활을 하면서 많은 의식을 치러냈다. 해마다졸업식과 입학식을 하고 발표회도 했다. 새로운 직원의 송·환영회도 했다. 때에 따라서는 이임식, 퇴임식도 했다. 자신이포함되기도 하겠고, 누군가를 위해 식을 하기도 했다.

삶을 마감하는 자리에서 간단하게나마 식을 하면 어떨까?이름을 붙이자면 양례예식(襄禮禮式)이다. '장례(葬禮)'는'시신을 처리하여 땅에 묻거나 화장하는 장사(葬事)에 예를갖추는 용어'라고 한다. 장사는 양사, 양례 등으로 격조 있게 표현한다.

장례식이라 해도 맞는 말이지만 의미가 왠지 무겁다. 그러니 '양례식'이라 하여 졸업식, 결혼식 같은 가벼운 의미를 담아 이름을 지어주면 어떨지 생각해 본다. 장례식장이 어둡거나 슬픔을 가진 공간이 아니고 고인을 행복하게 보내는 공간이면 좋겠다. 사람을 잃었다는 데 초점을 두지 말고 고인이 살아온 삶을 축복하자. 사람을 잃은 상실감은 자기중심의 생각이지만 고인이 살아온 삶을 축복하는 것은 고인을 위하는 마음이다.

양례식은 고인이 살아온 발자취를 더듬어보며 하객과 함께 추모하는 자리가 되면 좋겠다.

'고인 ○○○는 어디에서 태어나 어느 학교에 취임하였다. 평생 후학들을 양성하는 일에…. 이 자리에 이르렀다고'.

이것은 고인이 가는 길을 치장하는 일이 아닌가! 엄숙함보다 가벼운 분위기면 좋겠다. 그러기 위해서 장례 준비 물품과 함께 메모장을 준비해 두어야겠다. 망자의 출생일, 결혼일, 의미 있는 승진, 퇴직일 등을 기록하여 미리 남겨두면 좋겠다.

고인이 생전에 하객에게 감사하는 말을 녹음하여 들려주는 것은 또 어떠한가? '여러분, 오늘 여기까지 와주심은 평소 저에 대한 사랑이었음을 알고, 감사한 마음에 죽어서도 눈물이 납니다…… 사랑합니다. 사랑했습니다'라고. 한바탕 웃음 웃게 하면 어떨까. 아, 아무리 재미있다 하더라도 고인의 존엄은 훼손되면 안 되니 적절을 기하는 것은 필수다.

6. 지혜와 완성을 향하여

Erikson(에릭슨)은 그의 아내 Joan(조앤)과 함께 90세가 넘도록 오래 살았다. 그래서 그의 발달에 관한 생애주기 이론을 재검토할 수 있었다. 그가 사망한 지 30년이 되었지만, 지금 길어진 수명에도 합당한 결과이다. 그는 기존의 심리 사회적 발달의 여덟 번째 단계에 이어 아홉 번째 단계를 언급하였다.

그들은 아홉 번째 단계에서 노년기의 온전한 성숙에 어울리는 최종적인 덕목으로 '지혜와 완성'을 제시하였다.

나이 들어서 통합의 느낌으로 인생을 회고하면 '지혜'라는 자아 특성이 생긴다. 지혜는 죽음이 임박했다는 현실을 직면했을 때조차 인생과 지속적인 성장에 대해 관심을 가지는 것이다.

Erikson과 그의 아내 Joan은 '지혜'에 대해 '보고 아는 것에 관계된 것'이라고 하면서 단순히 '보다'나 '알다'의 사전적인 정보만으로 이해하기는 부족하다고 했다. '지혜'의 의미로, 감각을 통해 사물과 현상을 이해하는 것, 안목, 계몽, 통찰 등을 들며, 감각기관이 그 통로라고 하였다.

'완성'은 그 어원이 '촉각'으로 세상과 사물들, 특히 사람과의 접촉을 증진한다. 그것은 시각, 청각 등 모든 감각을 아우르는 것이다. '완성'은 구체적이고 현실적인 삶의 방식이며 우리가 성취해야 할 목표다.

Erikson과 그의 아내는 많은 노인에게는 변치 않는 핵심이 있다고 하며 그것을 '실존적 정체성(essential identity)'이라고 했다. 실존적 정체성은 자기(self)를 초월하여 세대 간의 연결을 강조한다. 이 정체성은 우리가 자신과 세상에 대한 지혜가 부족하다는 것을 깨닫고, 열린 마음으로 의심 없는 어린 아이처럼 살아야 한다. 이때는 과거에 이루었던 성과들을 소중한 재산으로 삼으면서 호기심을 가지고 젊은이들로부터 배우려는 마음을 가져야 한다.

Joan과 Erikson에 의하면, 노년의 초월(gerotranscendence)

에 관한 연구에서 인간이 노년의 삶으로 접어드는 과정에, 초월을 향한 보편적 가능성이 있다고 한다. 즉, 한걸음 물러서서 삶을 바라보는 관점이다. 노년의 초월이란 노년기에 접어든 개인이 전반적인 인생의 시각을 보다 우주적이고 초월적인 시각으로 변화시키는 것이다.

노년의 초월에 도달한다는 것은 세상과 시간을 능가하며 성숙과 지혜로 나아가는 마지막 단계로 본다. 초월한 개인은 물질적인 관심이 줄고 홀로 명상하고자 하는 욕구를 느낀다. 또 초월한 개인은 우주의 정신과 교감하는 감정을 경험한다. 이 경험은 시간과 공간, 삶과 죽음, 그리고 자기에 대한 재정의이다.

Joan은 '초월'(transcendence)이 'transcendance'로 활성화될 때 생동감을 지닌다고 했다. 'transcendance'는 놀이, 활동, 노래 같은 그동안 잃어버렸던 기능을 되찾는 것이며 죽음에 대한 두려움을 뛰어넘는 것이다. 이는 예술가의 언어를 이끈다. 나이 들어 초라함을 느낄 때, 거대한 풍요와 아름다움에 감동하게 된다.

Erikson은 생애주기에 포함된 모든 덕목과 마찬가지로 심리사회적 발달 9단계의 '지혜와 완성' 역시 평생에 걸쳐 발달하는 과정이라고 하였다.

80대와 90대의 노인에게는 신체 기능이 무너지고, 일상생활에 여러 가지 난관이 찾아올 수 있다. 노인의 주의력은 별 탈 없이 하루를 보내려는 일상적인 기능에 초점이 맞추어진다. 이때는 나이 들어 초라함을 감내하고 다른 사람의 도움이 필요하다는 사실을 인정하고 도움을 품위 있게 받아들여야 한다. 이때가 되면 주위의 사망 소식뿐만 아니라 부모, 배우자, 심지어 자녀를 잃는 경험을 하기도 한다. 이 경험은 노인을 슬픔에 빠지게 하고, 자기의 죽음을 예측하게 된다.

Erikson은 고령이 되어 난관과 상실에 맞서야 할 때, 우리에게는 의지할만한 확실한 발판이 있다고 말한다. 생애 초기부터 '불신'에 대항하는 '기본적 신뢰'(Trust vs. mistrust)가 있다. 기본적 신뢰가 없는 삶은 불가능하여 우리는 그것을 품고 긴 인생을 버텨냈다. 기본적 신뢰는 영속적으로 희망을 뒷받침해 준다. 우리를 완전히 저버리지 않는다. '지혜와 완성'의 씨앗이 될 수 있는 신뢰와 희망을 온전히 품고 있다면 여전히 살아야 할 이유가 있는 것이다.

나이가 들어 많은 것을 잊고, 잃었다. 어릴 적 기억을 더듬어볼 때, 무엇인가 잃는다는 것은 가슴 철렁 내려앉는 일이었다. 물건이 귀한 시절이었다. 물건을 잃으면 엄마에게 혼났다. 숙제를 집에 두고 오면 안 되는 거였다. 선생님에게 혼났다. 어릴 적 꼬마는 잊거나 잃었을 때, 혼날까 봐 가슴이 두근두

근했다.

어릴 적 그 꼬마는 나이가 들었다. 혼낼 엄마도, 선생님도. 아무도 없다. 상실인가? 아니다. 의미가 다르다! 혼날까 봐 가슴이 두근거리지 않는다. 시간과 공간, 삶과 죽음에 대해 재정의했다. 초월이다!

많은 것을 잊고, 잃었다. 많은 것을 잃은 노인은, 그래도 지키고 있었다.

노인은 지키고 있다

직업을 잃었다
기억을 잃었다
용기를 잃었다
사랑하는 사람도 잃었다
그래도 남은 것이 있다
바로 '나'다
'나' 속에는 아름다운 추억이 있다
'나' 속에는 가슴 뿌듯한 보람이 있다
온갖 생명에 대한 사랑도 있다
'나' 속에는 나를 사랑하는 내가 있다
그리고
살아있어 참 좋다.

마치며 | 빛나는 은빛 날개를 위하여

이 책은 필자가 박사학위논문을 쓰고 나서, 논문에 다 표현하지 못한 내용과 통찰이 있어, 그 아쉬움을 표현하고자 쓰게 된 것이다. 따라서 이 책 중의 일부분은 논문 내용을 간추려 적은 부분이 있다. 또한 논문에 드러나지 않은 퇴직 교원의 이야기 중에서, 느낄 수 있었거나 유추할 수 있는 사실에 관한 이야기들도 기록했다.

겨우 70년도 안 되는 생을 살고 나서, 몇 권 안 되는 책을 보고 글을 썼다. 책을 쓰고 난 지금은 독자를 향해 감히 이래저래 한 말과 쓴 글들이 어떤 효과가 있을지, 독자에게 도움이 될지 반신반의하는 마음으로 조심스럽다.

퇴직을 앞두거나 이미 퇴직하신 선생님들께 미흡하나마 도움이 되기를 바란다. 퇴직 이후에 맞이하게 될 정서와 생활이 안정되기를 바란다. 행복한 마음으로 나날이 보람되기를 바란다.

책이 나오기까지는 이전의 연구를 위해 기꺼이 개인의 이야기를 솔직하고도 참신하게 들려주신 논문의 연구 참여자들이 여러 사람 계시다. 인터뷰에 응해주고 퇴직의 감정을 소상히 전해준 선생님들께 또 한 번 감사드린다. 귀한 경험을 공유할 수 있도록 허락해 준 선생님들 덕분에 책이 나올 수 있었다.

또 최근에 퇴직한 동료 선생님 두 분이 스스로 소위 '도서 편찬위원'을 자처하여 끝까지 봉사하여 주셨다. 정명희 선생님과 신금성 선생님께 감사드린다.

책을 끝까지 읽어주신 독자 여러분께 진심으로 감사드린다. 적지 않은 세월을 학교에서 보낸 숭고한 선생님들의 앞날이 진심으로 행복하기를 바란다.

처음 책을 쓰기 시작할 때 책의 제목이 '빛나는 은빛 날개를 위하여'였다. 수정하고 편집하는 과정에서 여러 번 바뀌었지만, 아직 내 마음속에서는 평생을 학생과 함께 해 온 선생님의 빛나는 세상을 응원한다. 퇴직 후, 선생님의 삶이 빛나는 은빛 날개로 활짝 펼쳐지기를 바라며 글을 마친다.

참고문헌

권석만 (2019). 긍정심리학; 행복의 과학적 탐구. 학지사.

권인탁 (2017). 퇴직예정자의 은퇴기대와 노후 재무 만족도 예측의 관계에서 퇴직준비 및 재무교육의 매개효과. 열린교육 연구, 25(4), 171-190.

김 호 (2020). 직장인에서 직업인으로. 서울: 김영사.

김재경 (2007). 인간에게 공간이란 무엇인가?. 새한영어영문학회 학술발표회논문집, 1-8.

김재섭 (2002). 한국 교육개혁 정책의 이념적 성격. 한국교육사학 제24권 제2호, 58-75.

김진한 (2017). 은퇴교사의 새로운 학습경험을 통한 교직 소명의식의 변화과정 탐색. 한국성인교육학회지, 20(1), 1-20.

김창구 (2021). 내 인생의 반환점을 돌며. 도서출판 태봉.

김현아 (2023). 딸이 조용히 무너져 있었다; 의사 엄마가 기록한 정신질환자의 가족으로 살아가는 법. 창비.

나태주 (2023). 약속하건대 분명 좋아질거에요. 더불북.

남순현 (2017). 노인의 은퇴 후 삶의 적응에 관한 Glaser의 근거이론적 접근. 한국사회복지질적연구, 11(1), 5-29.

박근수 (2014). 베이비붐 세대의 퇴직기대 유형과 퇴직준비교육 ; A지방자치단체 공무원을 중심으로, 한국지방자치학회보,

제26권 제3호(통권87호), 21-42.

박종환, 윤선숙 (2021). 교원 은퇴자의 삶의 여정에 관한 생애사 연구. 한국콘텐츠학회논문지, 21(1), 626-638.

박종환, 윤선숙 (2022). 노인의 자원봉사 체험에 관한 현상학적 연구. 한국콘텐츠학회논문지, 22(11), 626-638.

박행모 (2006). 우리나라 근대 초등 교육 정책과 초등교원 양성 제도의 변천. 한국실과교육학회지 19(3), 67-82.

배인숙, 주철안 (2004). 유아교육법 제정과정의 분석 모형 설정에 관한 연구. 教育研究 14.1, 125-143.

법정 (2004). 홀로 사는 즐거움. 샘터사.

법정 (2009). 아름다운 마무리. 문학의 숲.

서경현 (2007). 노년기 한국인의 스트레스. 스트레스학회,15(4), 271-278.

유은사, 이신숙 (2014). 노인의 자아정체감에 대한 가족지지와 사회적지지의 영향에 관한 탐색적 연구. 한국콘텐츠학회논문지, 14(12), 254-273.

유제순 (2013). '책가방 없는 날'의 교육과정상의 의미와 시사점 탐색. 초등교육연구, 26(1), 97-120.

윤선숙 (2023). 내러티브 방법으로 조명한 퇴직 교원의 삶과 정체성. 삼육대학교 대학원 박사학위논문.

이근후 (2013). 나는 죽을 때까지 재미있게 살고 싶다. ㈜웅진씽크빅.

이명섭·크리에이티브 시니어 문화연구소 (2018). 정년 후의 삶; 처음 맞이하는 사람들에게. 도서출판 행복한 세상.

이무석 (2023). 마음의 평안과 자유를 얻은 30년만의 휴식. 비전과 리더십.

이미자 (2015). 중년남성의 실직 스트레스 경험 연구. 백석대학교 대학원 박사학위논문.

이성진 (2020). 건강증진 운동프로그램이 노인의 우울, 신체화 증상 및 인지장애에 미치는 영향. 인문사회 21, 11(4), 1821-1832.

이완배 (2018). 마르크스씨, 경제 좀 아세요?, 위대한 경제학자 18인의 이야기. 지학사.

이응춘 (2023). 당신. 공무원연금지, 470(8), 61.

이정의 (2003). 교사의 퇴직 기대유형에 관한 연구. 한국교육학연구, 9(1), 375-397.

임은석 (2020). 클래식 클래스. ㈜북랩.

전연익 (2024). 위하여與, 위하야野. 바른북스.

정명숙 (2021). 노화심리학. 서울 학지사.

조선주 (2020). 병원간호사의 긍정심리역량, 보상이 재직 의도에 미치는 영향. 인천가톨릭대학교 대학원 석사학위논문.

최광현 (2021). 나는 내 편이라고 생각했는데. 서울: 부키.

최미향, 오혜은 (2022). 손자녀 돌봄이 조모의 우울에 미치는 영향: 성향점수매칭과 이중차분법의 활용. 여성연구, 115, 277-305.

최인아 (2023). 내가 가진 것을 세상이 원하게 하라. ㈜해냄출판사.

한국교육개발원 (2022). 교육통계연보. 교육부 한국교육개발원.

한지형, 최현자 (2015). 누가 행복한 은퇴 생활을 하는가? 한국 FP 학회, 8(3), 95-123.

한혜경 (2014). 남자가, 은퇴할 때 후회하는 스물다섯 가지. ㈜문학동네.

"공무원닷컴", 공무원정보, 공무원복무, 2023년 10월 14일 접속, https://0muwon.com.

"공무원연금공단", 퇴직공무원인력뱅크(G-시니어), 사회공헌, https://www.geps.or.kr/kgs/EXBUI/kgsIndex.html.

"국가기록원", 유형, 분야별 검색, 교육, 2023년 10월 14일 접속, https://www.archives.go.kr/next/newsearch/listSubjectContent.do?subjectFieldId=000011.

"국가법령정보센터", 교육공무원법 제47조, 사립학교법 제56조, 2024년 4월 7일 접속, https://www.law.go.kr.

"대한금융신문", 라운지, '달걀을 한 바구니에 담지 말라'는 누가 말했는가, 2024년 4월 11일 접속, https://www.kbanker.co.kr/news/articleView.html?idxno=80992.

"매일경제신문", 뉴스, 경제, 1998년 11월, 2일. https://www.mk.co.kr/news/all/2041348.

"부읽남 TV", 정년퇴직은 나쁜겁니다, 2019년 1월 3일 접속, https://youtu.be/4E2D_l6N8Ss?si=FueQxUc7WQYijO7P.

"사라", 홈페이지, 레지나 할머니 일기장, 2024년 04월 13일 접속, https://sarah-shop.kr/product/%EB%A0%88%EC%A7 %80%EB%82%98-%ED%95%A0%EB%A8%B8%EB% 8B%88%EC%9D%98-%EC%9C%A1%EC%95%84%EC %9D%BC%EA%B8%B0/91/ 류영숙(2021).

"의학신문", 2023년 10월 13일 접속, http://www.bosa.co.kr.

"통계청", 국가통계포털, 2023년 12월 04일 접속, https://kosis.kr/statHtml/statHtml.do?orgId=101& tblId=DT_1B42&conn_path=I2.

"통계청", 국가통계포털, 2023년 7월 20일 접속, https://www.kostat.go.kr/unifSearch/search.es.

"통계청", 통계청누리집, 새소식, 보도자료, 2024년 4월 18일 접속, ttps://www.kostat.go.kr/board.es?mid=a10301150000&b id=246&act=view&list_no=70786.

"한국민족문화대백과사전", 분야별, 교육, 2023년 07월 29일 접속, https://encykorea.aks.ac.kr/Article/E0076169.

"한국민족문화대백과사전", 항목검색결과, 2024년 4월 17일 접속, https://encykorea.aks.ac.kr/Article/E0048409.

기시미 이치로(岸見一郎) (2015). 늙어갈 용기. 노만수 역. 에쎄: 글항아리.

오자와 다케토시(小澤竹俊) (2022). 1년 뒤 오늘을 마지막 날로 정해두었습니다; 어떻게 살아야 할지 막막할 때. 김향아 옮김. 필름(Feelm)출판사.

Brené Brown (2018). 진정한 나로 살아갈 용기. 북라이프. 이은경 옮김.

Karl Pillemer (2012). 내가 알고 있는걸 당신도 알게 된다면[*30 Lessons For Living*]. 토네이도. 박여진 옮김. (원전은 2011년에 발간됨).

Klein, S. (2017). 안녕하세요, 시간입니다[*The Secret Pulse of Time: Making sense of life's scarcest commodity*]. Da Capo Press. 유영미 역, 서울: 뜨인돌 출판. (원전은 2009년에 발간됨).

M Mather, LL Carstensen (2005). Aging and motivated cognition: The positivity effect in attention and memory. *Trends in cognitive sciences*, Cited by 2488 Related articles All 14 versions.

Mona, C. (2019). 지금 살고 싶은 집에서 살고 있나요? [*Chez soi: Une odyssee de l'espace domestique*]. Lectures. 박명숙 역, 서울: 부키. (원전은 2015년 발간됨).

Carver, C. S. & Scheier, M. F. (2019). 성격심리학: 성격에 대한 관점 [*Perspecyive on Personality*]. (김교헌 역). 서울: 학지사. (원전은 2012년 발간됨).

Erikson, E. H. & Erikson, J. M. (2019). 인생의 아홉 단계: 나이 듦과 삶의 완성 [*The life cycle completed: extended version*]. (송제훈 역). 서울: 교양인. (원전은 1998년에 발간됨).

Branden, N. (2021). *The power of self-esteem*. Health Communications, Inc.

Sallie Tisdale (2019). 인생의 마지막 순간에서; 죽음과 죽어감에 관한 실질적 조언 [*Advice for Future Corpses (and Those Who Love Them): A Practical Perspective on Death and Dying*]. (박미경 옮김). Being. (원전은 2018년에 발간됨).